НИКОЛАС СПАРКС

ДНЕВНИК ПАМЯТИ

ИЗДАТЕЛЬСТВО АСТ

МОСКВА

УДК 821.111-31(73)
ББК 84 (7Сое)-44
С71

Nicholas Sparks
THE NOTEBOOK

Перевод с английского *А. Панасюк*

Серийное оформление *Е. Ферез*

Печатается с разрешения издательства Grand Central Publishing,
New York, New York, USA
и литературного агентства Andrew Nurnberg.

Спаркс, Николас.

С71   Дневник памяти : [роман] / Николас Спаркс ; [пер. с англ.
А. Панасюк]. — Москва : Издательство АСТ, 2018. — 256 с.

ISBN 978-5-17-093757-8 (С.: Эксклюзивная классика)
ISBN 978-5-17-107279-7 (С.: Эксклюзивная классика (Лучшее))

Это — не «любовный роман», а роман о любви. О любви
обычных мужчины и женщины — таких, как мы...

Почему же книга эта стала абсолютным бестселлером во
всем мире?

Почему она трогает душу читателей самого разного возраста и интеллектуального уровня?

Как Николасу Спарксу удалось повторить сенсационный
успех «Истории любви» и «Неспящих в Сиэтле»?

Почему фильм, снятый по роману «Дневник памяти»,
имел огромный успех во всем мире?

Объяснить это невозможно.

Прочитайте «Дневник памяти» — и поймете сами!

УДК 821.111-31(73)
ББК 84 (7Сое)-44

Эта книга увидела свет благодаря двум потрясающим людям, и я хотел бы поблагодарить их за то, что они сделали.

Тереза Парк, литературный агент, — спасибо за то, что вытащили меня из тьмы на свет. За доброту, терпение и долгие часы работы со мной. Никогда не забуду то, что вы для меня сделали.

Джеми Рааб, издатель, — спасибо за мудрость, юмор и великодушие. Вы очень мне помогли, и я счастлив называть вас своим другом.

*Кэти, моей жене и другу,
с любовью посвящается*

Чудеса

Кто я такой? И чем, хотелось бы знать, закончится моя история?

Солнце только что взошло, а я уже сижу у окна, и дыхание моей уходящей жизни туманит стекло. Ну и видок у меня, наверное: две рубахи, теплые штаны, шея замотана шарфом, концы которого заправлены в теплый свитер — тридцать лет назад его связала мне одна из дочерей. Термостат в комнате жарит на полную, и, однако, в ногах у меня стоит еще один маленький обогреватель. Он пощелкивает, рычит и плюется горячим воздухом, словно миниатюрный сказочный дракон, а мне все равно холодно. Последнее время холод не покидает меня ни на минуту, причина тому — мои восемьдесят лет. «Восемьдесят!» — иногда думаю я, и хотя сама цифра не пугает, тем не менее забавно, что я не могу согреться с тех пор, как президентом был Джордж Буш-старший. Интересно, все ли мои ровесники чувствуют то же самое?

Прожитая жизнь... Трудно объяснять такие вещи. Когда-то я надеялся, что каждый мой день будет расцвечен новыми красками. Такого, к сожалению, не произошло, но и тоскливой мою жизнь не назовешь. Больше всего она напоминает удачно купленную акцию — хорошая сделка, выгодная, курс повышался день ото дня, а я ведь по опыту знаю, что далеко не каждый может похвастаться подобным. Поймите правильно — я обычный человек с обычными мыслями и жизнь прожил самую обыкновенную. Мне не поставят памятник, имя мое скоро забудется, и все же я познал любовь, и мне этого достаточно.

То, что происходит со мной сегодня, романтики назвали бы мелодрамой, а циники — трагедией. Сам я всегда считал, что в жизни сплелись и первое, и второе, и вообще, как там ни назови, мой путь — это мой Путь, и я о своем выборе не жалею. Не жалею ни о самом Пути, ни о том, куда он привел. Сотня других причин способна заставить меня стонать и жаловаться, но эта — никогда. Ни разу не допускал я даже мысли о том, что моя жизнь могла сложиться иначе.

Старость — плохой помощник, она пытается сбить с курса. И хотя Путь лежит передо мной такой же прямой, как и раньше, теперь он усыпан булыжниками и гравием, набравшимися за долгую жизнь. Всего три года назад я мог не обращать на них внимания, а теперь не выходит, как ни старайся. Тело мое изуродовано болезнью, я не здоров и не силен и сам себе напоминаю забытый где-нибудь в углу после праздника воздушный шарик — сдувшийся, дряблый, бесцветный.

Я кашляю, щурясь на часы. Пора. Покидаю свое место у окна и, шаркая, пересекаю комнату, не забыв захватить со стола блокнот, хотя все, что там написано, давно знаю наизусть. Сую его под мышку и выхожу из комнаты. Путь начался.

Шагаю по кафельным плиткам — сероватобелым, как мои седые волосы, как волосы большинства живущих здесь людей, хотя сейчас я иду по коридору в одиночестве. Остальные еще в своих комнатах, наедине с телевизором, они привыкли к этому, так же как и я. Человек ко всему привыкает, дайте только срок.

Вдалеке слышится сдавленный плач. Я знаю, кто это плачет.

Меня замечают медсестры, мы улыбаемся друг другу, желаем доброго утра. Мы все здесь друзья, часто болтаем о том о сем. Я знаю, что за спиной они шушукаются обо мне и о ритуале, которому я следую каждый день. И вот сейчас я вновь слышу:

— Вон он! Опять пошел.

— Сегодня все должно быть неплохо.

Правда, ни одна из них ничего не говорит в глаза. Думаю, сестры боятся разволновать меня, и, наверное, они правы.

Через минуту я приближаюсь к комнате. Дверь открыта специально для меня, как и каждый день. В комнате еще две медсестры, они улыбаются, когда я вхожу. «Доброе утро», — бодро приветствуют они, я тоже здороваюсь и не забываю спросить, как детишки, как школа, скоро ли каникулы. Мы словно не обращаем внимания на непрекращающийся плач. Здесь к такому привыкли, привык и я...

Я сажусь в кресло, которое принимает меня в свои объятия. Медсестры почти закончили — хозяйка комнаты уже одета, но все еще плачет. Она немного успокоится, когда персонал уйдет, я-то знаю. Утренние процедуры всегда вгоняют ее в уныние, и сегодняшний день не исключение. В конце концов занавеска у кровати отодвигается, и медсестры направляются к двери. Проходя мимо, обе улыбаются и легонько похлопывают меня по плечу. Что бы это значило?

Несколько минут я просто сижу и смотрю на нее, однако ответного взгляда не дожидаюсь. Неудивительно — она ведь не знает, кто я такой. Для нее я чужак, незнакомец. Чуть-чуть отворачиваюсь и, склонив голову, молюсь — прошу у Господа сил, которые мне ой как понадобятся. Я всегда верил в Бога и в силу молитвы, хотя теперь, когда конец уже близок, частенько задаюсь вопросом: воздастся ли мне по вере моей, когда я окажусь там, по другую сторону жизни?

Вот я и готов. Очки — на нос, лупу — на стол, открываю блокнот. Приходится дважды лизнуть искореженный палец, чтобы потертая страничка наконец открылась. Теперь беру лупу в руки.

И как всегда, перед началом чтения меня заботит один-единственный вопрос: выйдет ли у меня сегодня? Я никогда не знаю этого наверняка, и, в сущности, это не имеет значения. Вероятность, а не уверенность — вот что ведет меня по пути, иногда я напоминаю себе азартного игрока. Можете считать, будто я мечтатель или глупец, но я верю: в этом мире все возможно.

Да, наука против меня. Правда, наука тоже не все знает, я понял это давным-давно. И поверил, что чудеса — не важно, сколь невероятными и необъяснимыми они кажутся, — случаются, кто бы что ни говорил. И поэтому сегодня, как и каждое утро, я начинаю читать вслух: громко, чтобы слышала плачущая женщина, в надежде на то, что чудо, однажды явившееся в мою жизнь, придет снова, пусть и ненадолго.

Может быть, сегодня?

Духи прошлого

Теплым октябрьским вечером 1946 года, сидя на веранде, со всех сторон опоясывающей дом, Ной Кэлхоун любовался закатом. Он с удовольствием оставался здесь в сумерки, отдыхая после тяжелого трудового дня и позволяя мыслям течь, куда им заблагорассудится, вольно, без всякой цели. Эту привычку Ной унаследовал от отца.

Больше всего ему нравилось смотреть на деревья и на их отражение в водах реки. Природа Северной Каролины особенно хороша осенней порой — все оттенки зеленого, красного, золотого, оранжевого. Разноцветная листва пылала яркими цветами, вспыхивая на солнце, и Ной в который раз подумал о прежних хозяевах дома — интересно, а сидели они вот так на веранде, любуясь окружающей красотой?

Дом построили в 1772 году, это было одно из старейших и огромнейших зданий в Нью-Берне. В свое время в нем жил местный плантатор, а Ной купил дом сразу после войны и потратил целый год и почти все свое небольшое состояние, чтобы привести его в порядок. Несколько недель назад репортер из Роли* даже написал об этом заметку, в которой говорилось, что столь удачная реставрация — случай довольно редкий. Ной был с ним полностью согласен. Во всяком случае, в том, что касается дома. Остальная усадьба выглядела гораздо плачевнее, и именно там Ной проработал бо́льшую часть дня.

Дом стоял на двенадцати акрах земли, примыкающих к реке Брайсес-Крик, и последние дни его хозяин старательно поправлял обветшавшую изгородь, окаймлявшую собственность с трех сторон, — выискивал гнезда термитов, менял окончательно сгнившие столбики. Работы оставалось непочатый край, особенно с восточной стороны, и сегодня, откладывая инструменты, Ной решил заказать побольше досок. Вошел в дом, выпил стакан сладкого чаю и залез в душ. Он любил принимать душ после работы — вода смывала и грязь, и усталость.

---

* Роли — столица штата Северная Каролина. — *Здесь и далее примеч. пер.*

Николас Спаркс

Ной зачесал назад влажные волосы, натянул потертые джинсы и голубую рубашку, налил себе еще стакан чаю и уселся с ним на веранде, где сиживал каждый вечер.

Он потянулся, подняв руки над головой, повел плечами... Хорошо! После душа он чувствовал себя посвежевшим, только слегка ныли натруженные за день мышцы. Ной знал, что завтра с трудом встанет с постели, однако чувствовал удовлетворение от того, что успел сделать почти все намеченное.

Он взял гитару и почему-то вспомнил отца. Как же его не хватает!.. Ной провел пальцами по струнам, подтянул колки и снова проверил звучание. Вот теперь хорошо, можно играть. Ной тихонько замычал себе под нос, потом запел, вглядываясь в надвигающиеся сумерки. Так он пел и играл, пока солнце не село и все вокруг не погрузилось во тьму.

Было около семи, когда Ной отложил гитару и начал тихонько раскачиваться в кресле-качалке. Привычно смотрел на небо, на мерцающие звезды — Орион и Большая Медведица, Близнецы и Полярная звезда...

Попытался было подсчитать расходы, но быстро бросил — и так знал, что потратил на ремонт все сбережения и вскоре придется искать работу. Что ж, придется так придется, а пока можно получать удовольствие от отдыха и ни о чем не горевать. Когда возникнет нужда, обязательно что-нибудь подвернется, это точно, всегда так бывало. А мысли о деньгах навевали одну скуку. С детства Ной умел наслаждаться простыми радостями жизни, теми, что не продашь и не купишь, и с трудом понимал людей, которые считали по-другому. Это был еще один дар, унаследованный им от отца.

Появилась Клем, охотничья собака Ноя, лизнула ладонь хозяина и растянулась у его ног.

— Привет, девочка, как дела? — ласково спросил Ной, потрепав псину по голове. Она нежно взвизгнула в ответ, преданно глядя на него карими глазами. Клем потеряла лапу в автокатастрофе и тем не менее бойко бегала на оставшихся трех и охотно составляла Ною компанию по вечерам.

Ною недавно исполнилось тридцать один. Не сказать, чтобы много, хотя достаточно, чтобы заиметь семью. Однако с тех пор, как Кэлхоун вернулся в эти места, он не встречался с женщинами. Не специально — просто ни одна не зацепила. Сам виноват. Что-то удерживало его от близких отношений, заставляло прекращать встречи с любой женщиной, которая начинала претендовать на что-либо серьезное. Что-то, чего он не мог бы побороть, даже если б захотел. Иногда перед сном Ной задумывался: а не обречен ли он на одиночество до конца дней?

Вечер плавно перешел в ночь — теплую, волшебную. Ной слушал стрекотание сверчков и похрустывание подсыхающих листьев, думая, что звуки природы натуральнее и приятнее уху, чем гул машин и самолетов. Природа отдает больше, чем забирает, и ее звуки напоминают человеку, для чего он пришел в этот мир. На фронте, особенно после тяжелого сражения, Ной часто вспоминал эти простые звуки. «Они помогут тебе не сойти с ума, — говорил отец, провожая его на войну. — Это Божья музыка, слушай ее, и она приведет тебя домой».

Ной допил чай, вошел в дом, выбрал книгу и вернулся на веранду, включив по дороге свет. Снова уселся в кресло и раскрыл изрядно потрепанный томик — обложка кое-где разорвана, страницы покрыты пятнами. Это были «Листья травы» Уолта Уитмена*, книга, которая

---

* Уолт Уитмен (1819—1892) — выдающийся американский поэт, журналист, эссеист.

прошла с Ноем всю войну. Даже как-то раз получила пулю, предназначенную владельцу.

Ной стряхнул пыль с обложки и открыл книгу наугад. Прочел:

«Это твой час, о душа, твой свободный
          полет в бессловесное,
Вдали от книг, от искусства, память о дне
          изглажена, урок закончен,
И ты во всей полноте поднимаешься,
          молчаливая,
пристально смотрящая, обдумывающая
          самые дорогие для тебя темы —
Ночь, сон, смерть и звезды»*.

Он улыбнулся. По непонятной причине Уитмен всегда напоминал ему о Нью-Берне, и Ной был рад, что наконец вернулся сюда. Хотя он и пробыл на чужбине целых четырнадцать лет, дом все равно остался домом, многих соседей Ной знал с детства. Неудивительно — в южных городках люди мало меняются, они просто чуть-чуть стареют.

Его лучшим другом здесь стал Гас, семидесятилетний старик негр, живущий дальше по дороге. Они познакомились через пару недель после того, как Ной купил дом, — однажды Гас просто возник на пороге с бутылкой

---

* Перевод А. Старостина.

Николас Спаркс

домашней наливки и миской тушеной баранины по-брансуикски*. Новые приятели от души надрались и поведали друг другу немало интересного.

Теперь Гас захаживал раза два в неделю, обычно около восьми. Живя с четырьмя детьми и одиннадцатью внуками, он просто-напросто сбегал из дома, и Ной не мог его за это осудить. Сосед приносил с собой губную гармонику, и, поболтав немного, они играли дуэтом. Иногда часами.

Выходило, что Гас заменил Ною семью. У Кэлхоуна больше никого не было, во всяком случае, с тех пор, как умер отец. Мать ушла еще раньше, когда Ною исполнилось всего два года, братьев и сестер у него не было. Правда, однажды он хотел жениться, да не вышло.

Узнал Ной и любовь. Однажды, и только однажды, много лет назад. В этом он был уверен, и та любовь изменила его навсегда, а значит, она была настоящей.

Тяжелые облака медленно поползли по темному небу, серебрясь в свете луны. Ной откинул голову на спинку кресла, его ноги отталкивались от пола привычно, механически, разме-

---

* Тушеная баранина по-брансуикски — популярное блюдо американского Юга.

ренно раскачивая качалку. И как обычно, он унесся мыслями к такому же теплому вечеру четырнадцатилетней давности.

1932 год. Он только что окончил школу и пришел повеселиться на ежегодный городской фестиваль. Весь город высыпал на улицы, люди угощались и отдыхали. Ночь была жаркой и влажной — почему-то Ною это запомнилось. Он пришел на праздник один и, побродив в толпе в поисках знакомых, наткнулся на Фина и Сару, своих старых приятелей. Рядом с ними стояла незнакомая девушка. «Хорошенькая», — подумал Ной тогда и подошел. Девушка подняла на него задумчивые глаза. «Привет, — просто сказала она, протянув руку. — Финли много о тебе рассказывал».

Обычные слова, Ной не обратил бы на них никакого внимания, произнеси их кто-то другой. Но с той самой секунды, как пожал руку девушки и заглянул в ее изумрудные глаза, Ной почувствовал, что такой больше не найдет, даже если будет искать всю жизнь. Такой прекрасной, такой нежной — как летний ветерок, колышущий верхушки деревьев.

Ноя будто вихрем закружило. Фин сказал, что девушка проводит лето в Нью-Берне со своей семьей. Ее отец приехал сюда по делам

Николас Спаркс

службы — он работает в табачной компании «Р. Дж. Рейнолдс». Ной только кивнул, и взгляд новой знакомой сказал ему, что она верно расценила его молчание. Фин ухмыльнулся, заметив, что происходит с другом, а Сара предложила купить еще кока-колы, и они вчетвером пробродили по улицам до той поры, когда толпы стали редеть, а магазины — закрываться на ночь.

Ной и та девушка встретились на следующий день и на следующий, а затем стали неразлучны. Каждое утро, кроме воскресного, когда надо было идти в церковь, Ной старался пораньше закончить все дела и летел в парк Форт-Тоттен, где его уже ждала подруга. Девушка никогда раньше не бывала в маленьком городке, и они проводили день за днем в новых для нее занятиях. Ной учил ее удить рыбу и водил гулять в лес. Они сплавлялись по реке на каноэ и даже попали в грозу. Ною казалось, что он знает эту девушку всю жизнь.

Но и она нашла чему поучить приятеля. На танцах, которые время от времени устраивались в одном из табачных амбаров, именно она показала ему основные па вальса и чарльстона, и хоть поначалу Ной спотыкался, терпение и доброжелательность наставницы взяли свое —

вскоре они вполне уверенно кружились среди других пар. Позже Ной проводил ее домой, а там, на веранде, когда они желали друг другу спокойной ночи, решился поцеловать. И тут же пожалел, что не сделал этого раньше. В один из летних вечеров он привел ее к тому дому, в котором жил сейчас, заброшенному и развалившемуся, и рассказал, что в один прекрасный день купит его и отремонтирует. Они часами поверяли друг другу свои мечты — он хотел посмотреть мир, она — выучиться на художницу, и однажды душной августовской ночью они наконец-то стали близки. Три недели спустя она уехала, забрав с собой часть его души и остаток лета. Дождливым ранним утром он проводил увозивший ее поезд глазами, покрасневшими от бессонной ночи, потом вернулся домой, собрал рюкзак и пробыл следующую неделю в одиночестве на острове Харкер.

Ной взъерошил волосы и посмотрел на часы. Двадцать минут девятого. Он поднялся и взглянул на дорогу. Гаса не было видно. Наверное, сегодня не придет, решил Ной и вновь уселся в качалку.

Он рассказывал Гасу о своей любви. Когда это случилось впервые, старик покачал головой и рассмеялся:

— Так вот от какого воспоминания ты бежишь.

Когда Ной спросил, что он имеет в виду, Гас объяснил:

— Ну, воспоминание, дух прошлого, что ли. Я видел, как ты вкалываешь день и ночь, совсем себя не жалеешь. Я верно знаю — люди делают это по трем причинам: либо они дураки, либо психи, либо стараются что-то забыть. Ты не дурак, не псих, стало быть, забыть пытаешься. Я только не знал, что именно.

Ной припомнил тот разговор и подумал, что Гас прав. Нью-Берн стал городом духов, духов его памяти. Любимая девушка чудилась Ною везде, особенно в парке Форт-Тоттен — излюбленном месте их совместных прогулок. То она сидела на скамейке, то стояла у ворот — всегда улыбающаяся, светлые волосы до плеч, глаза цвета изумрудов. Когда же Ной, как сейчас, оставался на веранде с гитарой, она, казалось, тихо сидела рядом и слушала музыку его детства.

И то же случалось, когда он заходил в их любимое кафе, или в кинотеатр, или даже просто бродил по улицам. Везде его преследовал милый образ, все воскрешало ее черты.

Глупо, конечно, и Ной отлично это сознавал. Он родился в Нью-Берне, прожил тут семнадцать лет, но, когда думал о своем городе, вспоминал лишь то последнее лето, лето, проведенное с НЕЙ. Другие воспоминания превратились в мозаику неясных обрывков, и большинство из них, если не все, не будили у Ноя никаких чувств.

Как-то он поделился своим удивлением с Гасом, и негр не только понял его, но и объяснил, в чем дело.

— Мой отец, — сказал Гас, — говорил, бывало, что первая любовь меняет всю твою жизнь. Ее не забудешь, как ни старайся. Та девушка стала твоей первой любовью и, что ни делай, останется с тобой навсегда.

Ной встряхнул головой, прогоняя воспоминания, и когда любимый образ потускнел, вернулся к Уитмену. Около часа он читал, время от времени поднимая глаза, чтобы увидеть опоссумов и енотов, шастающих возле воды. В половине десятого Ной захлопнул книгу, поднялся в спальню и описал в дневнике все, что случилось за день, не забыв упомянуть работы по ремонту дома. Сорок минут спустя он уже спал. По ступенькам поднялась Клем, обнюхала спящего хозяина и, покрутившись, улеглась у ножек его кровати.

Николас Спаркс

В тот же вечер, только чуть пораньше и за тысячи километров от Ноя, на веранде, опоясывающей дом ее родителей, сидела, подогнув под себя одну ногу, молодая женщина. Скамейка была слегка влажной: только что прошел дождь, сильный, резкий, а теперь облака уплывали, и она смотрела им вслед, размышляя о своем решении. Уже несколько дней она пыталась побороть странные мысли и желания, и исключением не был даже сегодняшний вечер. В глубине души она твердо знала, что, если упустит возможность выполнить задуманное, никогда не простит себе малодушия.

Лон и не подозревал об истинной причине ее завтрашнего отъезда. Неделю назад она обмолвилась, что ей надо съездить на побережье — заглянуть в парочку-другую антикварных магазинов. «Всего лишь на пару дней, — добавила она. — Кроме того, мне просто необходимо отдохнуть от предсвадебной суматохи». Обманывать жениха было неприятно, но она не могла сказать ему правду. Отъезд никоим образом не связан с Лоном, и причину его он понять не захочет, как ни объясняй.

Нужный городок находился совсем недалеко от Роли — всего-то два часа езды, и она прибыла на место около одиннадцати. Остановилась в маленькой гостинице в центре города, зарегистрировалась, поднялась в номер, развесила в шкафу одежду, разложила кое-что по ящикам, потом сошла вниз — пообедать и заодно расспросить официантку о ближайших антикварных магазинах. Несколько часов потратила на покупки и к половине пятого оказалась совершенно свободна.

Усевшись на край кровати, женщина подняла телефонную трубку и позвонила Лону. Он не мог долго разговаривать — был занят в суде. Она продиктовала ему телефонный номер гостиницы и сама тоже пообещала позвонить на следующий день. «Прекрасно, — подумала она, вешая трубку. — Обычный, будничный разговор. Он ничего не заподозрит».

Они были знакомы уже четыре года, с 1942-го, со времен войны, которой не избежала и Америка. Каждый старался помочь чем мог, и она тогда добровольно работала в госпитале. Работа была необходимой и приносила удовлетворение, хотя оказалась труднее, чем ей представлялось сначала. В госпитали хлынула первая волна раненых — совсем молоденьких солдат, — и дни были заполнены истерзанными телами и покореженными душами. Когда Лон со свойственным ему шармом представился ей на какой-то рождественской вечеринке, она нашла в нем все, в чем нуждалась: уверенность в завтрашнем дне и чувство юмора, дающее возможность забыть страхи.

Кроме того, Лон был на восемь лет старше, красив, образован и обаятелен. Отличный адвокат, он страстно любил свою работу, выигрывал большую часть судебных дел и, несмотря на молодость, успел сделать себе громкое имя. Она понимала и принимала его стремление к известности и славе — большинство мужчин ее круга, в том числе и ее собственный отец, были слеплены из того же теста. В кастовом обществе американского Юга происхождение и положение в обществе играют огромную, если не первоочередную, роль в выборе мужа или жены.

И хотя с самого детства она бунтовала против такого положения вещей и даже встречалась с парой-тройкой парней, которых все окружающие считали «неподходящими», она как-то сразу признала, а потом и полюбила Лона. Он был добр и внимателен к ней; одна беда — слишком много работал. Настоящий мужчина, ответственный и солидный, Лон поддерживал ее в страшные годы войны, когда подруга особенно в этом нуждалась. С ним она чувствовала себя защищенной и, принимая сделанное им предложение, была твердо уверена в его любви.

Воспоминания вызвали острое чувство вины. Она подумала, что, возможно, стоит снова упаковать вещи и уехать, пока настроение не переменилось. Однажды она уже так поступила, однако если сделает то же самое и теперь, то никогда больше не соберется с силами, чтобы вновь приехать. Она неуверенно нашарила сумочку и чуть не двинулась к двери. Затем, вспомнив обстоятельства, приведшие ее сюда, остановилась, потрясенная мыслью о том, что, если сейчас уедет, всю жизнь будет мучиться, пытаясь представить, что могло бы случиться, если бы... И как жить с такой ношей?

Она прошла в ванную комнату и открыла кран. Затем вернулась в комнату, к туалетному столику, снимая на ходу золотые сережки. Нашла косметичку и вытащила оттуда бритву и кусок мыла. Разделась и встала перед зеркалом, внимательно рассматривая свое обнаженное тело.

С детских лет все кругом называли ее красавицей. И не зря — тело хорошо сложено, с округлыми грудями, плоским животом и стройными ногами. От матери она унаследо-

Николас Спаркс

вала чистую кожу, белокурые волосы и высокие скулы, но самой привлекательной чертой были глаза — «словно океанские волны», как любил говаривать Лон.

Взяв мыло и бритву, она вернулась в ванную, закрутила кран, положила полотенце так, чтобы легко достать, и осторожно залезла в воду.

Вода приятно расслабляла, и женщина скользнула поглубже. День оказался длинным и непростым, спина затекла, и все же, к счастью, покупки заняли не много времени. В Роли следует возвратиться с чем-то стоящим, и то, что она купила, прекрасно подойдет. Мысленно взяла себе на заметку узнать названия еще нескольких магазинов, затем опомнилась — Лон и так не будет ее проверять!

Она потянулась за мылом, взбила пену и начала брить ноги, размышляя, как бы на ее выходку отреагировали родители. Рассердились бы, конечно, особенно мама. Она никогда не одобряла того, что случилось с дочерью тем летом, и сейчас не одобрила бы, как ни объясняй.

Женщина еще немного понежилась в ванне, потом вылезла, вытерлась полотенцем. Подошла к шкафу выбрать платье и сняла с плечиков длинное желтое, чуть приспущенное спереди по моде Юга. Надела его, покрутилась перед зеркалом. Платье сидело отлично, изящно подчеркивая ее женственность, и тем не менее она решила поменять его на что-нибудь попроще и повесила обратно.

Достала другое — голубое с кружевом, менее вычурное, на пуговках спереди. И хотя это платье выглядело гораздо более буднично, оно как-то больше подходило к случаю.

Подкрасилась — совсем капельку теней на веки да чуточку туши, чтобы подчеркнуть глаза. Теперь духи, тоже совсем чуть-чуть. Разыскала и вдела в уши небольшие сережки-колечки, на ноги надела коричневые сандалии на небольшом каблучке — те, в которых была все утро. Причесала светлые волосы, заколола их наверх, посмотрелась в зеркало. Нет, нехорошо. Снова распустила волосы по плечам — вот так гораздо лучше.

Закончив, сделала шаг назад и придирчиво оглядела свое отражение. То, что нужно — не слишком изысканно, но и не слишком повседневно. Она не хотела произвести неверное впечатление. В конце концов, неизвестно, чего ожидать. Это было так давно, невероятно давно, что угодно могло случиться с тех пор, всего и не угадаешь.

Николас Спаркс

Она перевела взгляд на руки и увидела, что они дрожат. Смешно. Ее никогда нельзя было обвинить в излишней чувствительности. Так же как и Лон, она всегда была очень самоуверенна, даже в детстве. Иногда это создавало ей проблемы во время свиданий — отпугивало большинство мальчиков ее возраста.

Взяла сумочку и ключи от машины, не забыла и ключ от номера. Нервно покрутила его в пальцах. Сказала себе: «Ты зашла слишком далеко, отступить сейчас было бы глупостью», — и тут, вместо того чтобы выйти, вернулась и села на кровать. Взглянула на часы — почти шесть. Пора идти, ведь не хочется возвращаться в темноте. Нет, еще минуточку.

— Черт, — прошептала она, — зачем я вообще приехала? Нечего мне здесь делать! Совершенно нечего!

Однако она сама знала, что это неправда. Знала, что собирается делать и ответы на какие вопросы хочет получить.

Она открыла сумку и нашарила там сложенную в несколько раз газетную вырезку. Медленно, почти благоговейно вытащила ее, развернула, стараясь не порвать, и несколько секунд молча смотрела на знакомую статью.

— Вот, — пробормотала она. — Вот за этим я и приехала!

Ной поднялся в пять и около часа, как и каждое утро, плавал на своем каяке. Когда вернулся, переоделся, разогрел вчерашние бисквиты, сгрыз пару яблок и запил завтрак двумя чашками кофе.

Он, как и вчера, занялся починкой изгороди, заменяя подгнившие доски новыми. Стояло бабье лето, столбик термометра подползал к восьмидесяти*, к обеду Ной вспотел, устал и рад был возможности передохнуть.

Поел тут же, на берегу, глядя, как в реке играет кефаль. Ною нравилось наблюдать, как рыбы два-три раза подпрыгивают и скользят в воздухе, прежде чем шлепнуться обратно в воду. Его почему-то всегда изумляла мысль о том, что их инстинкты не менялись в течение последних тысяч, а то и десятков тысяч лет.

Иногда он задумывался, изменились ли за это время человеческие инстинкты, и приходил к выводу, что нет. Во всяком случае, в каких-то основных, животных проявлениях люди те же. Агрессивны, стремятся завоевать мир. Война

---

* По шкале Фаренгейта. Около двадцати пяти градусов по Цельсию.

в Европе и с Японией — очередное этому доказательство.

Ной закончил работу около трех и отправился к небольшому сараю, стоявшему у причала. Вошел внутрь, отыскал леску, пару блесен. Наловил кузнечиков, уселся на пристани и закинул удочку.

Рыбалка всегда настраивала его на философский лад. Вот и сейчас он задумался о своей жизни. После смерти матери родственники перекидывали его из дома в дом. Ребенком он жутко заикался, и сверстники нередко дразнили смешного мальчугана. Ной замкнулся, перестал разговаривать и к пяти годам замолчал вообще. Когда он пошел в первый класс, учителя решили, что мальчик отстает в развитии, и порекомендовали забрать его из школы.

К счастью, отец наконец-то взял дело в свои руки. Оставил сына в школе, а после уроков стал брать с собой на лесосеку, где работал, — подбирать и складывать деревяшки. «Неплохо побыть немного вместе, — говорил он. — Так и мне мой папаня, бывало, говорил».

За работой отец рассказывал Ною о повадках зверей и птиц или вспоминал истории и легенды Северной Каролины. Несколько месяцев спустя мальчик вновь заговорил, хотя и не слишком бегло. Отец решил, что сыну поможет чтение стихов. «Научись хорошенько читать вслух, и у тебя не будет проблем в любом разговоре». Отец снова оказался прав — в течение года от заикания не осталось и следа. Однако Ной по-прежнему приходил к отцу на работу — просто чтобы побыть рядом, — а по вечерам читал вслух Уитмена и Теннисона. Отец слушал, медленно покачиваясь в кресле-качалке. С тех самых пор Ной полюбил поэзию.

Повзрослев, он проводил большую часть выходных и каникул в одиночестве. Сплавлялся вдоль леса на своем первом каноэ, преодолевая около тридцати километров по Брайсес-Крик, и, когда места становились совсем уж непроходимыми, проделывал оставшуюся часть пути пешком — до самого побережья. Странствия по новым, неизведанным краям были его страстью, и он часами бродил по лесу или сидел под дубом, тихонько насвистывая или наигрывая на гитаре. Единственными его слушателями оказывались бобры, гуси и голубые цапли. Любой поэт скажет, что уединение возвышает душу.

Хоть он и был тихоней, годы тяжелой работы на лесосеке сделали свое дело — Ною легко давались многие виды спорта, а такие ребята всегда популярны в школе. Ему нравились футбол и легкая атлетика. Впрочем, хотя его товарищи по команде проводили вместе и свободное время, Ной редко к ним присоединялся. Но никто не называл его высокомерным, скорее считалось, что он несколько взрослее сверстников. Несколько раз Ной даже заводил подружек, и все же ни одна из них не тронула его сердца. Это удалось только Элли.

Его Элли.

Ной припомнил ночь после праздника и разговор с Фином. Фин хохотал тогда и пророческим тоном предсказывал, что, во-первых, Ной и Элли неминуемо влюбятся друг в друга, а во-вторых, из этого ничего не выйдет.

Ною показалось, что клюнуло. Уж не окунь ли?.. Увы, поплавок замер.

Предсказания Фина сбылись. Большую часть лета Элли только и делала, что извинялась перед родителями за то, что опять виделась с Ноем. Не то чтобы парень им не нравился, нет, он просто был не их круга, слишком беден, им не хотелось, чтобы у дочери возникло к нему хоть сколько-нибудь серьезное чувство. «А мне наплевать, что думают родители, — упрямо говорила Элли. — Я люблю тебя и никогда не брошу. Мы все равно будем вместе!»

И все же они расстались. В начале сентября, когда урожай табака был собран, Элли пришлось возвратиться в Уинстон-Сейлем вместе с семьей. «Кончилось лето, но не наша любовь, — сказал ей Ной в минуту расставания. — Наша любовь — навеки». И это не сбылось. По непонятным Ною причинам Элли не ответила ни на одно из его писем.

Он решил уехать из Нью-Берна, надеясь, что новые впечатления вытеснят из головы образ Элли. К тому же наступала Великая депрессия, и зарабатывать на жизнь становилось все сложнее и сложнее. Сначала Ной отправился в Норфолк и полгода работал на овечьей ферме, а когда работы не стало и там, двинулся в Нью-Джерси, где, по слухам, дела шли лучше.

Он тут же нашел место в фирме, которая занималась сбором утиля, — отделял металлолом от всего остального. Хозяин, старый еврей, которого звали Моррис Голдман, был уверен, что металлолом скоро пригодится: в Европе назревала война, в которую неизбежно окажется втянутой и Америка. Ною было наплевать — он просто радовался, что нашел работу.

За годы, проведенные на лесосеке, Ной привык к тяжелому физическому труду и старался изо всех сил. Не только потому, что это на самом деле помогало забыть про Элли, но и потому, что иначе не умел. Отец часто повторял: «Работай честно. Не отработать зарплату — то же, что своровать».

Хозяину это нравилось. «Ай-ай, такой хороший мальчик, и вот беда — не еврей!» — сокрушался старый Голдман. В его устах это был высший комплимент.

Ночью мысли об Элли возвращались. Раз в месяц Ной писал ей и тщетно ждал ответа. Наконец он заставил себя признать, что проведенное вдвоем лето останется единственным воспоминанием о девушке, и написал еще одно, прощальное письмо.

А забыть ее так и не смог. Три года спустя Ной поехал в Уинстон-Сейлем в надежде отыскать Элли. Нашел ее дом и, обнаружив, что семья переехала, сначала попытался узнать у соседей новый адрес, а потом позвонил в «Р. Дж. Рейнолдс». К телефону подошла новенькая девушка-секретарь, она не слышала прежде названной Ноем фамилии, но любезно предложила поискать в архивах. Оказалось, что отец Элли уволился, не оставив никаких координат. На этом Ной и закончил поиски.

Еще восемь лет он работал на Голдмана. Сначала простым рабочим — весь персонал компании составлял тогда двенадцать человек, — потом фирма разрослась, и к 1940 году Ной практически вел весь бизнес: под началом у него состояло тридцать человек. Голдман стал крупнейшим сборщиком металлолома на всем восточном побережье.

Женщин Ной не чурался. С голубоглазой и темноволосой официанткой из соседней кафешки у него даже возникли серьезные отношения. Они встречались два года и были довольны друг другом, но Ной так и не ощутил ничего похожего на то чувство, которое питал когда-то к Элли.

Новая знакомая была несколькими годами старше Ноя и с удовольствием учила его науке любви — где погладить, как поцеловать, какие слова прошептать на ушко. Иногда они весь день проводили в объятиях друг друга и расставались вполне довольные.

Официантка понимала, что у них нет общего будущего. Как-то, незадолго до расставания, она сказала Ною: «Хотела бы я дать тебе то, что ты ищешь, да что это — понять не могу. Часть твоего сердца закрыта от всех, включая меня. Ты не со мной, даже когда мы вместе. Ты с кем-то еще».

Ной было заспорил, но она только рассмеялась: «Я — женщина, меня не проведешь. Бывает, смотришь на меня так, словно ждешь, будто я по мановению волшебной палочки превращусь в *нее*...» Через месяц официантка сообщила ему, что повстречала другого. Ной не обиделся. Они расстались друзьями, и на следующий год молодой человек получил от нее открытку с сообщением о свадьбе.

Раз в год, на Рождество, Ной навещал отца. Они много разговаривали, ходили на рыбалку, иногда путешествовали по побережью.

Голдман оказался прав — в декабре 1941-го, когда Ною исполнилось двадцать шесть, японские самолеты нанесли коварный удар по военно-морской базе Перл-Харбор, началась война. Через месяц Ной явился в офис хозяина и сообщил, что записался добровольцем. Потом съездил в Нью-Берн — попрощаться с отцом. Несколько недель спустя он уже был в лагере для новобранцев. Там его нашло письмо от Голдмана, с благодарностью за работу и сертификатом, удостоверяющим право Ноя на небольшие проценты, в случае если фирма Голдмана когда-нибудь будет продана. «Без вас я ничего не добился бы, — писал бывший хозяин. — Вы очень порядочный молодой человек, хоть и не еврей».

Следующие три года Ной провел в составе 3-й армии генерала Паттона* в пустынях Северной Африки и лесах Европы с полной выкладкой за спиной. Пехотинцев всегда бросали в самые тяжелые бои. Кругом погибали друзья, находя последний приют в тысячах километров от дома. Однажды, когда Ною пришлось прятаться в каком-то укрытии неподалеку от Рейна, ему показалось, что за ним незримо следит Элли.

Наконец война окончилась — сначала в Европе, а через несколько месяцев и в Японии. Незадолго до увольнения Ной получил письмо из Нью-Джерси — от адвоката, ведущего дела Морриса Голдмана. При встрече с юристом Ной узнал, что старик Голдман умер, дело его продано, а самому Ною причитается около семидесяти тысяч долларов. Известие он встретил со странным равнодушием.

Уже через неделю Ной вернулся в Нью-Берн и купил дом. В первые же дни он привел

---

* Джордж Смит Паттон (1885—1945) — видный военный деятель США. В 1942 году участвовал в кампании в Северной Африке. В июне 1944-го генерал-лейтенант Паттон командовал 3-й бронетанковой армией, действовавшей в Германии, был военным комендантом оккупированной Баварии.

туда отца — рассказать о своих планах, показать, какие наметил изменения. Отец казался слабым, он хрипло кашлял, бродя вокруг дома. Ной заволновался было, но Кэлхоун-старший успокоил его, уверив, что просто-напросто подхватил простуду.

И месяца не прошло, как отец Ноя умер. Воспаление легких. Его похоронили на местном кладбище, рядом с женой, и Ной часто заезжал туда — оставить букет цветов, а иногда и записку. И каждую ночь он молился за человека, который научил его всему, что важно в этой жизни.

Вытащив удочку, Ной отложил ее в сторону и вернулся к дому. Там его поджидала соседка, Марта Шоу, с тремя буханками домашнего хлеба и пирожками — в благодарность за то, что он сделал для нее несколько дней назад. Муж Марты погиб на войне, не оставив после себя ничего, кроме троих детей да старой развалюхи, где Марта их растила. На прошлой неделе Ной провел у соседей несколько дней — подлатал крышу, заменил разбитые окна и заклеил целые, укрепил дровяной сарай. Теперь, Бог даст, зиму домишко продержится.

Проводив гостью, Ной залез в потрепанный «додж» и поехал к Гасу. Он всегда заезжал туда по дороге в магазин — у семьи Гаса своей машины не было, и одна из его дочерей обычно отправлялась с Ноем за покупками. Вернувшись, Ной не стал сразу распаковывать продукты. Вместо этого принял душ, нашел бутылку пива «Будвайзер» и томик Дилана Томаса*, а затем выбрался на веранду — посидеть.

Несмотря на доказательства, она никак не могла поверить в реальность случившегося.

Раннее воскресное утро в доме ее родителей. Она заходит на кухню — выпить чашку кофе. Отец сидит за столом с газетой в руках. «Помнишь?» — улыбаясь, указывает он на маленькую фотографию рядом с одной из статей. Протягивает ей газету. Она равнодушно смотрит на фото и вдруг застывает на месте. «Не может быть!» — шепчет она и, не обращая внимания на удивленный взгляд отца, садится за стол и молча пробегает глазами статью, даже не замечая, как в кухню входит мать и садится напротив. Когда дочь наконец откладывает газету, мать взирает на нее тем же пытливым взглядом, что и отец.

«Что с тобой? — спрашивает она, отпивая из чашки кофе. — Ты так побледнела».

---

* Дилан Томас (1914—1953) — уэльсский поэт.

Николас Спаркс

Ответить трудно — перехватило горло, дрожат руки. Вот как все началось.

— А теперь закончится, так или иначе, — шепнула она самой себе. Сложила вырезку и спрятала ее обратно в сумочку, вспоминая, как с газетой в руке вернулась в тот день из родительского дома. Как перечитывала статью вечером в постели, пытаясь поверить, что это правда, и утром, едва открыв глаза, будто боялась, что прочитанное может оказаться сном. И вот теперь, после трех недель одиноких прогулок, после трех недель сомнений и неуверенности, она решилась приехать.

Окружающие не могли не заметить ее волнения, однако на расспросы она отделывалась словами о предсвадебном стрессе. Прекрасное извинение — его принимали все, особенно Лон. Поэтому он и не спорил, когда она заявила, что необходимо уехать на пару дней. Подготовка к свадьбе измотала абсолютно всех. Подумать только — полтысячи приглашенных, и в их числе губернатор, сенатор и посол США в Перу. Многовато, на ее взгляд, да только их бракосочетание было громким событием. Новости о нем не сходили со страниц светской хроники с тех пор, как шесть месяцев назад они объявили о помолвке. Время от времени ей хотелось сбежать с Лоном в какую-нибудь глушь и там, без всякой шумихи, пожениться. Да разве Лона уговоришь! Как и честолюбивым политикам, ему нравилось находиться в центре внимания.

Она глубоко вздохнула и встала. Теперь или никогда. Взяла сумочку и подошла к двери. Помедлив секунду, распахнула ее и спустилась по лестнице. Менеджер проводил ее вежливой улыбкой; выходя из отеля, она спиной чувствовала его заинтересованный взгляд. Сев за руль, молодая женщина еще раз взглянула на себя в зеркальце, затем включила зажигание и вырулила на Мейн-стрит.

Ее не удивило, что и через столько лет она прекрасно ориентируется в городе — он был совсем небольшим. Проехав через реку Трент по старомодному разводному мосту, она повернула на усыпанную гравием проселочную дорогу, ведущую к конечной цели путешествия.

За городом начались необыкновенно красивые места. Правда, отличающиеся от тех, к которым она привыкла в Пидмонте, где прошло все ее детство. Земля здесь была плоской, как стол, хотя такой же илистой, жирной, плодородной — идеальной для выращивания табака и хлопка. Эти две культуры да строевой лес и поддерживали на плаву экономику края, за-

одно придавая окружающим полям невырази-
мую прелесть.

Казалось, окрестности совершенно не изменились. Закат соперничал яркостью с осен-
ними красками высоченных дубов и гикори.
Слева стремились к дороге стальные воды реки
и вдруг резко сворачивали, чтобы через некоторое время исчезнуть совсем, поглощенные
другой рекой, покрупнее. Да и сама проселоч-
ная дорога прихотливо извивалась между ста-
рыми фермами, и странно было видеть, что
жизнь на них совсем не изменилась со времен
дедов и прадедов нынешних владельцев. При
виде знакомого пейзажа в душу потоком хлы-
нули воспоминания; сердце сжималось, когда
она узнавала давно забытые места.

Солнце повисло над деревьями слева от
дороги, женщина завернула за поворот и увидела дряхлую церковь, давно заброшенную, но
все еще упрямо стоявшую на своем месте. В то
лето она и здесь побывала — искала сувениры,
которые могли остаться со времен войны между штатами, — и при виде церкви воспоминания так окрепли, будто все случилось только вчера.

Потом показался величественный дуб на
берегу реки — еще один свидетель давно про-

шедшего лета. Он совсем не изменился — тяжелые ветви низко простерлись над землей, вуалью с них свисал испанский мох. Когда-то, жарким июльским днем, она сидела здесь с юношей, смотревшим на нее с таким обожанием, что можно было забыть обо всем на свете. Вот когда она поняла, что влюбилась.

Он был двумя годами старше, и сейчас, проезжая по дороге своих воспоминаний, она четко припомнила его облик. Ей всегда казалось, что он выглядит взрослее своих лет. В его внешности было что-то от усталого фермера, возвращающегося домой после тяжелого дня в поле. Мозолистые руки, широкие плечи, как у любого, кто много трудится физически, а первые морщинки уже тогда начали прокладывать дорожки в уголках его глаз — глаз, которые умели читать любое ее желание.

Высокий, сильный паренек с каштановыми волосами, пожалуй, даже красивый, хотя больше всего девушке нравился его голос. В тот день он читал ей вслух; они лежали под деревом, и она наслаждалась его акцентом, мягким и тягучим — как музыка. «Ему бы на радио работать», — закрыв глаза, думала она, а его голос плыл в воздухе, и слова проникали, казалось, прямо в душу.

Она соблазняет меня растаять в туман и пар.
Я улетаю, как воздух, я развеваю мои белые
кудри вслед за бегущим солнцем...*

Он перелистывал старые книги с потрепанными страницами, книги, которые сам читал, наверное, тысячи раз. Потом они разговорились. Она рассказала ему, чего хочет добиться в жизни — все свои мечты и планы на будущее, — а он серьезно слушал ее и обещал сделать все возможное, чтобы эти мечты стали явью. Он говорил это с таким чувством, что нельзя было не поверить, и в тот момент она ощутила, как много он для нее значит.

Иногда она просила и его рассказать о себе — он рассказывал или объяснял, почему выбрал то или иное стихотворение и что думает о прочитанном. И все же чаще он молчал, глядя на нее горящими глазами.

В тот вечер они вместе полюбовались закатом, потом съели прихваченные из дома припасы, рассматривая сияющие в небе звезды. Было уже поздно, и она подумала, что родители придут в ярость, узнав, где она провела столько времени. Только странным образом это ее совершенно не взволновало. День был таким

---

* Уолт Уитмен. Песнь о себе. Перевод К. Чуковского.

необычным, и *он* был таким необычным, и когда они все-таки поднялись и пошли к дому, он взял ее руку в свою, и тепло его ладони согревало ее всю дорогу.

Она повернула еще раз и увидела наконец то, к чему так стремилась. Дом очень изменился по сравнению с ее воспоминаниями. Она сбросила скорость и свернула на длинную, обсаженную деревьями проселочную дорогу, ведущую к цели, которая манила ее от самого Роли.

Медленно подъезжая к дому, она вдруг судорожно вздохнула — на веранде сидел мужчина в рабочей одежде и вглядывался в приближавшуюся машину. Издалека казалось, что он совсем не изменился, а в какой-то момент, когда солнце зашло ему прямо за спину, он словно растворился в окружающем мареве.

Автомобиль осторожно приблизился к дубу, бросающему тень на фронтон дома, и остановился. Не отрывая взгляда от сидевшего на веранде мужчины, она повернула ключ, и двигатель смолк.

Хозяин дома сошел с веранды, двинулся к автомобилю и вдруг застыл, увидев, кто выходит ему навстречу. Долго-долго они стояли, не двигаясь и молча глядя друг другу в глаза.

Эллисон Нельсон, двадцати девяти лет от роду, молодая женщина из высшего общества, обрученная с блестящим адвокатом и приехавшая сюда в поисках ответа на свой вопрос, и Ной Кэлхоун, тридцати одного года, мечтатель и одиночка, увидевший перед собой гостью из прошлого — гостью, изменившую когда-то всю его жизнь.

Встреча

Они смотрели друг на друга и не могли двинуться с места.

Ной потрясенно молчал. Сначала Элли испугалась, что он ее просто не узнаёт, а через секунду уже ругала себя за то, что приехала вот так — без предупреждения. Надо сказать что-нибудь, разбить эту ужасную тишину, но слова застревали на языке, казались глупыми и ненужными.

Воспоминания об их общем лете вновь нахлынули на Элли. Глядя на Ноя, она решила, что он почти не изменился. И выглядит очень неплохо. Хоть на нем обычная рубашка, небрежно заправленная в старые потертые джинсы, под ней скрываются все те же широкие плечи, плоский живот и узкая талия. Загорел так, будто все лето работал на открытом воздухе. Шевелюра

Николас Спаркс

чуточку поредела, а в общем — тот же Ной, каким она помнила его все эти годы.

Немного успокоившись, Элли глубоко вздохнула и улыбнулась:

— Здравствуй, Ной. Вот... решила тебя навестить.

Эти слова, казалось, разбудили Ноя; он в изумлении посмотрел на гостью. Потом недоуменно потряс головой и неуверенно улыбнулся в ответ.

— Ты откуда?.. — забормотал он. Потер рукой подбородок. (Небритый — заметила Элли.) — Это на самом деле ты? Поверить не могу...

По голосу Ноя Элли поняла, что он еще не оправился от шока, и вдруг впервые осознала: все происходит на самом деле — она здесь и видит его. Что-то шевельнулось в душе, что-то давнее, казалось, похороненное навсегда, что-то, от чего на секунду закружилась голова.

Элли попыталась взять себя в руки. Она не ожидала, что все будет вот так, все должно пойти по-другому. Она помолвлена. Она приехала не затем, чтобы... Однако...

Однако...

Однако чувство, несмотря на все ее старания, не только не угасало, а становилось все сильнее, и Элли вдруг снова ощутила себя пятнадцатилетней. Словно и не было прошедших лет, словно все ее мечты еще могут сбыться.

Словно она вернулась домой.

Они молча качнулись навстречу друг другу, движением естественным, как окружающая природа. Ной обвил руками Элли за талию и прижал к себе. Они крепко обнялись, пытаясь поверить в реальность происходящего, и разделявшие их четырнадцать лет исчезли, будто растаяв в предзакатных сумерках.

Наконец Элли чуть отодвинулась и подняла голову. Теперь, вблизи, стало заметно, что Ной все-таки изменился. Лицо стало мужественнее, потеряло юношескую мягкость и округлость. Морщинки у глаз залегли глубже, а на щеке появился шрам. Выражение лица тоже поменялось — оно уже не было по-детски открытым, стало суровее и жестче. И тем не менее в объятиях Ноя Элли почувствовала, как скучала по нему все эти годы.

Они смогли все-таки разжать руки. Элли нервно засмеялась, вытирая полные слез глаза.

— Ну что с тобой? — только и спросил Ной, хотя в голове у него теснились сотни вопросов.

— Прости. Я не хотела плакать...

— Ничего, — улыбнулся он. — Я до сих пор не верю, что это ты. Как ты меня нашла?

Элли сделала шаг назад и поспешно стерла остатки слез, пытаясь взять себя в руки.

— Прочла про твой дом в газете, недели две назад, и решила съездить тебя проведать.

Ной широко улыбнулся:

— Правильно решила.

Он тоже отступил на шаг.

— Господи, да ты потрясающе выглядишь! Еще красивее, чем раньше!

Элли поняла, что кровь приливает к ее щекам. Совсем как четырнадцать лет назад.

— Спасибо. Ты тоже.

И она не лгала. Годы, несомненно, пощадили его.

— Где же ты была столько лет? И почему приехала именно сейчас?

Вопросы вернули Элли к реальности, напомнили, что нужно быть осторожнее, держать себя в руках. Чем дольше длится молчание, тем труднее ответить. А это и так нелегко.

Но, Боже, его глаза! Темные бархатные глаза...

Элли отвела взгляд и глубоко вздохнула, собираясь с силами, чтобы все объяснить. Когда она заговорила, ее голос был тверд.

— Ной, не буду вводить тебя в заблуждение — я и вправду хотела тебя увидеть, но дело не только в этом. — Пауза. — Я приехала не просто повидаться. Мне нужно кое-что тебе рассказать.

— Что именно?

Элли молча смотрела в сторону, не понимая, почему не может выговорить давно заготовленные слова. Ной почувствовал холодок в груди — что бы она ни сказала, это наверняка его не обрадует.

— Я не знаю, как объяснить... Я думала, это будет легко, и все же сейчас...

Воздух разорвал пронзительный крик енота, из-под веранды выскочила Клем, оглашая окрестности громким лаем. Элли обрадовалась возможности перевести разговор.

— Твой песик?

Ной кивнул, продолжая ощущать напряжение.

— Только не песик. Ее зовут Клементиной. Ну да, моя, чья же еще...

Они молча наблюдали, как Клем тряхнула головой, принюхиваясь, а затем собака бросилась в ту сторону, откуда раздались всполошившие ее звуки. Элли с жалостью наблюдала за прихрамывающей Клем.

— Что у нее с лапой? — спросила она, оттягивая неизбежное.

— Попала под машину несколько месяцев назад. Доктор Харрисон, ветеринар, позвонил мне и спросил, не возьму ли я хромую собаку, от которой отказались хозяева. Посмотрел я на нее и понял, что такую псину усыпить просто невозможно.

— У тебя всегда было доброе сердце. — Элли пыталась говорить спокойно. Она снова помолчала, потом кинула взгляд в сторону дома. — Ты здорово поработал — дом именно такой, каким я когда-то хотела его видеть.

Ной посмотрел туда же, гадая, что же Элли пытается и не может ему сказать.

— Спасибо. Честно говоря, я не подозревал, что это будет так тяжело. Знал бы — ни за что бы не взялся.

— Наверняка взялся бы, — уверенно возразила Элли, вспомнив о том, как Ной был привязан к этому месту. И о том, как он относится к любой работе, или, во всяком случае, относился много лет назад.

Все изменилось с тех пор. Они теперь чужие и смотрят друг на друга совсем иными глазами. Четырнадцать лет не шутка.

— Так в чем же все-таки дело? — Ной повернулся, пытаясь поймать взгляд Элли, однако она упорно смотрела в сторону дома.

— Глупо я выгляжу, правда? — сказала она, изо всех сил пытаясь улыбнуться.

— Ну почему же?

— Сваливаюсь на тебя ни с того ни с сего и при этом сама не знаю, что хочу сказать. Наверное, со стороны я похожа на чокнутую.

— Нет, не похожа, — мягко сказал Ной. Взял Элли за руку — она не сопротивлялась — и предложил: — Хоть я и не догадываюсь, о чем ты хочешь рассказать, но для тебя это нелегко. Давай пройдемся?

— Как раньше?

— Почему бы и нет? По-моему, нам обоим стоит проветриться.

Элли неуверенно посмотрела на входную дверь:

— А тебе никого не надо предупредить?

Ной покачал головой:

— Нет, предупреждать некого. Тут только я и Клем.

Именно такого ответа Элли и ждала, сама не зная почему. Хоть и не могла решить, как к нему относиться. Тем более что после этого еще труднее оказалось поделиться новостями. Живи он не один, ей, пожалуй, было бы легче.

Они медленно побрели в сторону реки и вскоре свернули на тропинку, которая вилась вдоль берега. К удивлению Ноя, Элли освободила руку и пошла поодаль, так, чтобы они не могли коснуться друг друга даже случайно.

Ной внимательно наблюдал за ней. Разумеется, она красива — густые волосы, выразительные глаза, плавная походка — будто плывет над землей. И все же дело было не только в этом, он и раньше встречал очень красивых женщин — женщин, которые, несомненно, привлекали внимание. Однако они были лишены качеств, которые Ной ценил более всего. Ум и уверенность в себе, сила духа и страстность натуры — качества, которые вдохновляют всех и каждого, качества, которые он пытался воспитать и в себе.

Элли была щедро наделена ими в юности, и даже сейчас, когда они просто шли бок о бок, Ной чувствовал, что она не изменилась. «Ожившее стихотворение» — так описывал он ее друзьям.

— Давно ты вернулся сюда? — спросила Элли, когда они начали подниматься на склон небольшого, поросшего травой холма.

— В декабре прошлого года. А до этого работал на Севере, а потом провел три года в Европе.

Элли вопросительно посмотрела на него:

— На войне?

Ной кивнул.

— Мне почему-то казалось, что ты там. Как хорошо, что все уже кончилось!

— Хорошо.

— Ты счастлив вернуться?

— Да. Здесь мои корни. Здесь я на месте. — Он помолчал. — А у тебя какие новости?

Ной спрашивал неуверенно, будто боясь услышать что-то неприятное.

— А я помолвлена.

Он уставился себе под ноги. Так вот в чем дело. Вот что она боялась ему сказать.

— Поздравляю, — выдавил Ной наконец, стараясь, чтобы голос звучал побадрее. — И когда же великое событие?

— Через три недели. Лон хочет, чтобы свадьба состоялась в ноябре.

— Лон?

— Лон Хаммонд-младший. Мой жених.

Ной кивнул, ничуть не удивленный. Хаммонды считались одной из самых влиятельных и богатых семей штата. Хлопок — дело прибыльное. Известие о кончине Лона Хаммонда-старшего появилось на первых страницах газет, тогда как о смерти отца Ноя почти никто не знал.

— Имя знакомое. Отец твоего Лона сколотил неплохое состояние. А сын продолжает семейное дело?

— Нет, Лон — юрист. У него своя контора в центре города.

— С такой фамилией он, наверное, не страдает от отсутствия клиентов.

— Угадал. Работает день и ночь.

Ною показалось, что в голосе Элли прозвучала горечь, и он, не удержавшись, спросил:

— Он тебя не обижает?

Элли ответила не сразу, будто обдумывая вопрос. Потом сказала:

— Нет, Лон хороший. Тебе бы он понравился.

Ною показалось, что слова прозвучали как-то заученно, не от души. А может быть, ему просто этого хотелось.

— Как поживает твой отец? — спросила Элли.

Ной ответил не сразу:

— Он умер в начале года, после того как я вернулся.

— Мне очень жаль, — искренне произнесла Элли, помня, как много значил отец для Ноя.

Он кивнул, и дальше они пошли в молчании.

На вершине холма Элли остановилась и посмотрела на старый дуб, ярко подсвеченный заходящим солнцем. Краешком глаза она заметила, что Ной проследил за направлением ее взгляда.

— Это дерево многое помнит, а, Элли?

— Конечно, — улыбнулась она. — Я проезжала мимо дуба, когда направлялась к тебе. Ты не забыл день, который мы провели под ним?

— Нет, — коротко ответил Ной.

— Часто вспоминаешь?

— Иногда. Когда работаю поблизости. Я ведь купил этот участок.

— Купил?!

— Просто не мог позволить, чтобы в один прекрасный день кто-то срубил наш дуб и наделал из него кухонных шкафчиков.

Элли тихо засмеялась, тронутая его признанием.

— Все еще увлекаешься поэзией?

Ной кивнул:

— Никогда не бросал. Стихи у меня в крови.

— Ты единственный поэт, которого я встречала в жизни.

— Да я не поэт. Читать люблю, а сам так ничего и не написал. Хотя и пытался.

— Все равно ты поэт, Ной Тейлор Кэлхоун, — ласково сказала Элли. — Я часто вспоминаю, как ты читал мне стихи. В первый раз кто-то читал для меня. И честно говоря, в последний.

Ее слова вновь вызвали массу воспоминаний. Они молча повернули назад и пошли к дому другой тропинкой, мимо причала. Солнце опустилось еще ниже, и небо заполыхало оранжевым. Ной спросил:

— Ты надолго?

— Да нет. Уеду завтра-послезавтра.

— Твой жених тут по делам?

Элли отрицательно покачала головой:

— Нет, он остался в Роли.

Ной приподнял бровь:

— И не знает, что ты здесь?

Она снова покачала головой и медленно ответила:

— Нет. Я сказала, что хочу побродить по антикварным магазинам. Он бы не понял, зачем мне нужно к тебе.

Ноя удивил ее ответ. Одно дело — просто приехать в гости, и совсем другое — скрыть это от жениха.

— Не обязательно было приезжать, чтобы сообщить о помолвке. Могла бы написать письмо или позвонить.

— Могла бы. Но мне почему-то хотелось сделать это лично.

— Почему?

Элли заколебалась.

— Не знаю... — отозвалась она, медленно шагая по тропинке, и, судя по ее тону, это была правда.

Некоторое время они шли в тишине — только камешки под ногами похрустывали. Затем Ной спросил:

— Элли, ты его любишь?

— Люблю, — без запинки отозвалась она.

Слово ранило Ноя, хотя в голосе Элли ему опять почудилось что-то не то. Будто бы она старалась убедить себя, что говорит правду. Ной остановился, нежно обнял спутницу за плечи, посмотрел ей прямо в глаза. В них отражался закат.

— Если ты счастлива, Элли, и любишь его, я не буду тебя останавливать. Правда, если в глубине души ты не уверена, лучше не торопись. Назад дороги не будет.

— Я уже все решила, Ной, — ответила Элли, пожалуй, чуть-чуть быстрее, чем следовало.

Он пристально смотрел на нее еще секунду, пытаясь понять, верит ли она самой себе. Потом кивнул, и они двинулись дальше. Через несколько шагов Ной произнес:

— Зря я тебе голову морочу.

— Ничего, — слабо улыбнулась Элли. — Я не в обиде.

— Все равно извини.

— Не за что, правда. Ты ни в чем не виноват. Это мне надо извиняться. Ты прав, нужно было сначала написать.

Ной тряхнул головой.

— И все-таки я рад, что ты приехала. Честно. Так приятно видеть тебя снова.

— Спасибо.

— Как ты думаешь, мы смогли бы все повторить?

Она с недоумением посмотрела на него.

— Ты была моим лучшим другом, Элли. Я хотел бы дружить с тобой и теперь, хоть ты и обручена и хоть это всего на пару дней. Как насчет того, чтобы подружиться снова?

Элли задумалась над его словами. Уехать или остаться? И решила, что раз он знает о ее помолвке, то согласиться вполне прилично. Во всяком случае, в этом не будет ничего страшного. Она улыбнулась и кивнула:

— Идет.

— Прекрасно. Пообедаем вместе? Я знаю место, где подают самых лучших в городе крабов.

— Звучит заманчиво. И где же это?

— У меня дома. Я всю неделю ставил садки, а пару дней назад проверил их и обнаружил неплохой улов. Соглашаешься?

— Конечно.

Ной улыбнулся и указал большим пальцем через плечо:

— Здорово. Они там, у причала. Это займет всего пару минут.

Элли вдруг почувствовала, что неловкость, которую она испытывала с тех пор, как сообщила о помолвке, куда-то испарилась. Зажмурившись, она провела руками по волосам и подставила лицо легкому ветерку. Глубоко вздохнула, задержала дыхание и, резко выдохнув, ощутила, как расслабляются напряженные плечи. Элли открыла глаза и в который раз поразилась красоте здешних мест.

Она всегда любила такие вечера, когда мягкие южные ветра разносят кругом тонкий запах осенних листьев, когда шелестят деревья, и их шелест успокаивает душу. Она посмотрела на Ноя — и вдруг увидела его совсем по-новому, будто он был незнакомцем.

Господи, как он хорош! И это после стольких лет разлуки...

Элли внимательно следила за тем, как Ной потянулся к уходящей в воду веревке и начал выбирать ее. Несмотря на сумерки, она четко разглядела, как ходили мускулы на его руках, когда он вытаскивал садок. На секунду задержав ловушку над поверхностью реки, Ной сильно тряхнул ее, избавляясь от остатков воды, а потом поставил на доски причала и начал вынимать крабов, одного за другим, складывая их в корзину.

Элли направилась к нему, слушая стрекотание сверчков, и вдруг вспомнила старую детскую примету. Сосчитала количество звуков в минуту и прибавила двадцать девять. «Шестьдесят семь градусов*, — улыбнулась она. — Уж не знаю, насколько точно, но похоже на правду».

Элли успела забыть, каким свежим и прекрасным кажется в этих краях буквально все. Вдалеке виднелся дом. Ной выключил не весь свет, и окна одиноко горели в сумерках, будто другого жилья поблизости не было. Или по крайней мере к нему не подведено электриче-

---

* По шкале Фаренгейта. Примерно двадцать градусов по Цельсию.

ство. Здесь, вдали от города, такое в порядке вещей. Тысячи сельских домов до сих пор не могут похвастаться электрическим освещением.

Элли ступила на причал, доски скрипнули под ногами. Ной глянул на нее снизу вверх, подмигнул и снова принялся сортировать крабов. Элли подошла к креслу-качалке, которое стояло тут же, дотронулась до него, провела пальцами по спинке. Представила, как, сидя здесь, Ной рыбачит, читает, думает. Интересно, о чем? И сколько времени он проводит вот так, в одиночестве?

— Это отцовское кресло, — не оборачиваясь, сказал Ной, и Элли кивнула. В небе ныряли летучие мыши, а к вечернему хору сверчков присоединилось дружное пение лягушек.

Она перешла на другую сторону причала, ощущая странное спокойствие. Нетерпение, пригнавшее ее сюда, исчезло — впервые за последние три недели. Элли просто обязана была сообщить Ною о помолвке, заручиться его пониманием и согласием — теперь она уверилась в этом. И вдруг в ее душе ожило еще одно воспоминание того далекого лета. Опустив голову, Элли медленно оглядывалась, пока не нашла то, что искала. Вырезанные на досках слова

«Ной любит Элли» и сердечко вокруг. Они появились тут за несколько дней до ее отъезда.

Подул ветер, разорвав царившую кругом неподвижность. Элли тут же озябла и обхватила себя руками. Но она продолжала стоять, разглядывая надпись и реку, пока не услышала за спиной шаги Ноя. Он подошел вплотную, так что Элли почувствовала его тепло.

— Как же здесь тихо, — задумчиво сказала она.

— Да. Я часто прихожу сюда — просто чтобы побыть около воды. Отдыхаю.

— Живи я здесь, делала бы то же самое.

— Пойдем домой. Сейчас будет полно комаров, да и ужинать пора.

Темнело. Ной шел по дорожке, ведущей к дому, Элли — за ним. В наступившей тишине голова вдруг показалась легкой, мысли стали хаотичными. Интересно, что думает Ной о ее приезде, если она и сама-то не знает, как к этому относиться? Через пару минут они подошли к веранде, где их встретила Клем, бестолково тычась в руки мокрым носом. Ной жестом отослал ее, и собака, опустив хвост, покорно побрела прочь.

— Тебе нужно что-то вынуть из машины? — спросил Ной, указывая на автомобиль Элли.

— Нет, я приехала еще утром и оставила вещи в гостинице.

Элли с трудом узнала собственный голос; прожитые годы словно испарились куда-то.

— Ну и хорошо, — сказал Ной, поднимаясь на веранду. Он поставил корзину с крабами у дверей и, войдя в дом, двинулся в сторону кухни. Она помещалась справа от входа — большое помещение, приятно пахнувшее свежим деревом. Дубовые шкафы, и пол тоже дубовый, большие окна выходят на восток, чтобы впускать утреннее солнце. Ремонт был сделан со вкусом, просто и красиво — в отличие от многих старых домов, где хозяева перестарались, приводя свое жилище в порядок.

— Можно я тут поброжу?

— Конечно. Я пока разложу продукты. Купил утром, да так и не распаковал.

На секунду их взгляды встретились, и, выходя из кухни, Элли чувствовала, как Ной смотрит на нее. Снова в душе возникло какое-то странное чувство.

Элли обошла дом, изучая комнату за комнатой и изумляясь тому, насколько прекрасно они выглядят. К концу «экскурсии» она с трудом могла вспомнить, какая здесь когда-то царила разруха. Элли спустилась по лестнице, заглянула в кухню и увидела Ноя, который стоял к ней боком. На мгновение показалось, что он опять стал тем семнадцатилетним пареньком, которого она так любила, и пришлось переждать несколько секунд, прежде чем она успокоилась. «Возьми себя в руки, черт побери, ты же обручена!» — приказала себе Элли.

Тихонько насвистывая, Ной стоял около кухонной стойки. Пара шкафов была открыта, на полу — пустые пакеты из-под продуктов. Он улыбнулся Элли и поставил на полку еще несколько коробок. Элли остановилась в нескольких шагах от него, облокотилась о стойку и изумленно покачала головой:

— Ной, это просто поразительно. Ты долго занимался ремонтом?

Он открыл последний пакет.

— Около года.

— Один?

Ной фыркнул:

— Нет, конечно. Правда, в юности я действительно собирался отремонтировать дом в одиночку, поэтому, представь себе, так и начал. Только это оказалось слишком тяжело даже для меня. Я сообразил, что ремонт затянется на годы, и нанял несколько помощников... много помощников. Работы все равно было невпроворот, и спать я ложился после полуночи почти каждый день.

— Для чего же ты так выкладывался?

«Для ду́хов прошлого», — чуть было не ответил Ной.

— Не знаю. Наверное, просто хотел побыстрей закончить. Выпьешь чего-нибудь, пока еда готовится?

— А что у тебя есть?

— Ничего особенного. Пиво, чай, кофе.

— Давай чаю.

Ной убрал пустые пакеты, заглянул в смежную с кухней маленькую комнатку и принес оттуда пачку чая. Вытащил два пакетика и положил возле плиты, потом налил в чайник воды, поставил, зажег спичку, и Элли услышала, как пшикнуло, загораясь, пламя конфорки.

— Через минуту все будет готово, — пообещал Ной. — Эта плита очень быстро греет.

— Прекрасно.

Когда чайник засвистел, Ной наполнил две чашки, а затем протянул одну Элли.

Она благодарно улыбнулась и, сделав глоток, махнула рукой в сторону окна:

— Готова спорить, что здесь, на кухне, замечательно ранним утром.

Ной кивнул:

— Так и есть. Я специально заказал большие окна на эту сторону дома. Даже наверх, в спальню.

— Твои гости наверняка в восторге. Если только они не любят поспать подольше.

— На самом деле у меня гостей еще не было. С тех пор как отец умер, мне и позвать-то некого.

Судя по тону, Ной просто поддерживал беседу. Однако в его последних словах Элли почудилось одиночество. Ей стало как-то тоскливо. Похоже, Ной заметил ее настроение и быстро сменил тему:

— Прежде чем готовить крабов, их надо замариновать.

Он поставил чашку на стол, подошел к одному из кухонных шкафов и достал большую кастрюлю-пароварку. Налил туда воды и водрузил на плиту.

— Давай я чем-нибудь помогу, — предложила Элли.

— Давай, — откликнулся Ной через плечо. — Знаешь, нарежь-ка овощей для рагу. Их там полно, в холодильнике, а миску возьми любую — вот здесь.

Ной указал на шкаф возле раковины, и Элли сделала еще глоток чая, прежде чем поставить чашку на стойку и вытащить из шкафчика миску. Она открыла холодильник и выбрала на нижней полке пару кабачков цуккини, несколько плодов окры*, лук и морковь. Ной тоже подошел, и Элли посторонилась, чтобы дать ему место. Стоя рядом, она почувствовала его запах (такой родной, такой знакомый — ни с кем не спутаешь!) и ощутила, как соприкоснулись их руки, когда Ной наклонился, чтобы взять с полки бутылку пива и острый соус.

Вернувшись к раковине, Ной откупорил пиво и вылил его в кастрюлю, добавил соус и какие-то приправы. Хорошенько помешав и убедившись, что все ингредиенты растворились, он вышел на веранду за крабами.

Вместо того чтобы сразу вернуться на кухню, Ной постоял в дверях, наблюдая, как Элли шинкует морковь, и гадая, зачем она все-таки приехала. И почему именно сейчас — накануне свадьбы? Странный поступок.

Впрочем, Элли всегда отличалась от остальных.

---

* Окра — растение из семейства мальвовых.

Он усмехнулся, вспоминая, какой она была в юности — вспыльчивой, задорной, порывистой. Ему всегда казалось, что именно такими и должны быть настоящие художники. А она, несомненно, настоящая. Такой талант, как у Элли, — просто дар Божий. Ее работы не уступали большинству из тех, что Ной видел в музеях Нью-Йорка.

В то лето, перед отъездом, она подарила ему картину. Ту, что висела теперь над камином в гостиной. Элли говорила, что нарисовала свои мечты, а Ною полотно казалось невероятно чувственным. Глядя на картину вечерами, он ощущал страстность и в цвете, и в линиях, а всмотревшись хорошенько, понимал, что Элли хотела выразить каждым мазком.

Вдалеке залаяла собака, и Ной вдруг осознал, что уже долго стоит у открытых дверей. Он быстро затворил их и шагнул на кухню, гадая, заметила ли Элли, как он рассматривал ее.

— Ну, как дела? — спросил Ной.

— Хорошо. Практически закончила. Что еще у нас к ужину?

— Хлеб домашней выпечки.

— Домашней?

— Соседка принесла, — объяснил Ной, бросая крабов в раковину. Он повернул кран и начал полоскать их по одному — держал каждого под водой, а потом снова кидал его к остальным, ловя следующего. Элли взяла чашку и подошла поближе.

— Как ты их держишь? Не боишься, что ущипнут? — спросила она, глядя на ползающих крабов.

— Нет, просто надо хватать вот так. — Ной продемонстрировал, как именно.

Элли улыбнулась:

— Я вечно забываю, что ты этим всю жизнь занимаешься.

— Нью-Берн невелик, и тут легко выучиться всему, что действительно необходимо в жизни.

Элли облокотилась на стойку возле Ноя, допивая чай. Когда с крабами было покончено, Ной кинул их в кастрюлю на плите, вымыл руки и повернулся к ней:

— Хочешь посидеть немного на веранде? Полчасика, пока крабы не промаринуются?

— Конечно.

Ной вытер руки и вместе с Элли вышел в заднюю дверь. Включил свет и сел в старое кресло-качалку, оставив новое для Элли. Однако, заметив, что ее чашка пуста, он вернулся в дом и принес оттуда еще чаю и бутылку пива — для себя. Протянул чашку Элли, та взяла ее и сделала глоток, прежде чем поставить на стол.

— Ты ведь здесь и сидел, когда я приехала?

Ной устроился поудобнее и ответил:

— Да. Каждый вечер тут сижу. Уже и в привычку вошло.

— И понятно почему, — отозвалась Элли, окидывая взглядом окрестности. — А чем ты вообще теперь занимаешься?

— Да пока ничем, кроме ремонта дома. Тешу свои дизайнерские способности.

— А на что же ты... То есть...

— Моррис Голдман.

— Что?

Ной хмыкнул:

— Мой бывший босс с севера. Его так звали — Моррис Голдман. Он отписал мне долю в своем бизнесе, когда я завербовался в армию, и умер до того, как я вернулся. Когда я пришел с войны, душеприказчик выдал мне чек на кругленькую сумму. Хватило и на дом, и на ремонт.

Элли рассмеялась:

— Ты всегда говорил, что придумаешь что-нибудь с домом.

Они помолчали, вновь перенесясь мыслями в прошлое. Элли отпила еще глоток чаю.

— Помнишь, как мы бродили здесь, когда ты впервые показал это место?

Ной кивнул, и Элли продолжила:

— Я припозднилась в тот вечер, родители были в ярости. До сих пор помню, как папа метался по комнате с сигаретой в руке, а мама сидела на диване, молча глядя перед собой. Честное слово, можно было подумать, будто умер кто-то из близких! Именно тогда они наконец осознали, насколько серьезно я к тебе отношусь, и мама чуть ли не до утра наставляла меня на путь истинный. «Тебе кажется, — сказала она, — что я ничего не понимаю. Ошибаешься: понимаю, и очень хорошо. Но порой наша судьба зависит не от того, чего мы хотим, а от того, кем мы родились». Помню, как покоробили меня ее слова.

— Ты рассказала обо всем на следующее утро. Меня тоже задели такие рассуждения. Твои родители мне нравились, и до тех пор я не догадывался, что они меня недолюбливают.

— Они не то чтобы недолюбливали... Просто считали, что ты мне не пара.

— Не вижу разницы.

В голосе Ноя прозвучала горечь, и Элли знала, что он прав. Она подняла голову, откинув назад упавшие на глаза пряди волос, и посмотрела на звезды.

— Согласна. И тогда была согласна. Может быть, поэтому мы с матерью и отдалились друг от друга.

— А что ты теперь думаешь?

— То же, что и тогда. Так не должно быть, это нечестно. Нельзя говорить девушке такие вещи — что положение человека важней, чем его чувства.

Ной усмехнулся, но промолчал.

— Я никогда не забывала ни тебя, ни нашего лета.

— Так уж и никогда?

— Ты что, не веришь? — изумилась Элли.

— Ты не отвечала на мои письма.

— Какие письма?

— Десятки писем. Я писал тебе два года подряд и ни разу не получил ответа.

Элли медленно покачала головой, прикрыв глаза.

— Я не знала... — тихо сказала она, и Ной понял, что ее мать, проверяя почту, тайком забирала его письма. Он и раньше подозревал нечто подобное; сейчас Элли пришла к тому же выводу. — Мама была не права, Ной, и зря она это делала. Только попробуй понять. Когда мы уехали, она решила, что мне лучше забыть обо всем. Мама никогда не понимала, как много ты значил для меня. Честно говоря, я не уверена, что она любила отца хотя бы вполовину так же сильно, как я тебя. Видимо, она старалась пощадить мои чувства и сочла, что лучший способ для этого — скрывать твои письма.

— Она не имела права решать за нас, — тихо произнес Ной.

— Не спорю.

— А если бы ты их получила, все могло бы сложиться по-другому?

— Конечно. Я постоянно гадала — где ты и что с тобой...

— Нет, я имею в виду — с нами. Вышло бы что-нибудь из нашего романа?

Элли понадобилось время, чтобы ответить:

— Не знаю, Ной. Правда, не знаю. И ты, думаю, не знаешь тоже. Мы теперь другие, мы изменились, повзрослели. Оба. — Элли замолчала. Ной не ответил ей, и, глядя на реку, она продолжила: — Хотя, наверное, вышло бы. Мне, во всяком случае, так кажется.

Он кивнул и спросил, смотря в сторону:

— А Лон... он какой?

Элли заколебалась, вопрос застал ее врасплох. Произнесенное вслух имя жениха вызвало чувство вины, она запнулась, не зная, что ответить. Взяла чашку, сделала очередной глоток и несколько секунд молчала, слушая стук дятла вдалеке. Потом негромко заговорила:

— Лон? Красивый, обаятельный, удачливый. Все подружки страшно мне завидуют. Идеальный вариант. Приветлив, умеет рассмешить и любит меня настолько, насколько он вообще способен любить.

Элли снова замолчала, собираясь с мыслями.

— Однако мне все время кажется, будто в наших отношениях чего-то не хватает.

Изумившись своему ответу, Элли тем не менее понимала, что сказанное — правда. А Ной, казалось, другого и не ожидал.

— Чего же?

Смущенно улыбнувшись, Элли пожала плечами и почти прошептала:

— Думаю, я все еще мечтаю о большой любви, как у нас с тобой тем летом.

Ной долго молчал, раздумывая над этими словами и перебирая в памяти все знакомства, что он заводил после того, как расстался с Элли.

— А ты? — спросила, в свою очередь, она. — Ты когда-нибудь вспоминаешь о... нас?

— Мне не надо вспоминать. Я никогда не забывал.

— Ты с кем-нибудь встречаешься?

— Нет! — отрезал Ной.

Они снова замолчали, безуспешно пытаясь найти другую тему для разговора. Ной решительно допил оставшееся пиво, удивившись мельком, как быстро он его прикончил.

— Пойду готовить крабов. Тебе что-нибудь принести?

Элли отрицательно покачала головой, и Ной вернулся в кухню. Положив крабов в пароварку, а хлеб — в печку, он нашел муку, обвалял овощи и налил на сковороду немного масла. Поставил на слабый огонь, включил таймер и вытащил из холодильника еще бутылку пива. Голова кружилась от мыслей об Элли, о потерянной ими любви.

И Элли думала, сидя на веранде. О себе, о Ное, об их отношениях... На секунду она пожалела, что обручилась с Лоном, но тут же устыдилась этой мысли. Ведь она любит вовсе не Ноя, она любит воспоминания об их прошедшей юности. Да, ей взгрустнулось, и это нормально, ведь Ной — ее первая настоящая любовь, первый мужчина — ну как его забудешь? А с другой стороны, нормально ли, что все внутри дрожит, когда он подходит ближе? Нормально делиться с ним секретами, которые она никогда никому не поверяла? Нормально приезжать сюда за три недели до свадьбы?

— Нет, конечно, — прошептала она, глядя в вечереющее небо. — Совершенно ненормально.

Тут вышел Ной, и Элли благодарно ему улыбнулась. Его приход избавил от сложных и неприятных мыслей.

— Придется подождать несколько минут, — предупредил он, усаживаясь.

— Ничего, я не голодна.

Ной ласково посмотрел на подругу:

— Я рад, что ты приехала, Элли.

— И я. Знаешь, а я ведь чуть не передумала.

— А почему же тогда приехала?

«Не смогла удержаться. Меня будто заколдовали», — чуть не сказала она и все же совладала с собой.

— Просто повидаться. Посмотреть, как ты живешь, чем занимаешься.

Ной засомневался в правдивости ответа, но переспрашивать не стал, а лишь поинтересовался:

— Кстати, а ты по-прежнему рисуешь?

Элли пожала плечами:

— Нет.

— А почему? — изумился Ной. — У тебя же настоящий талант!

— Даже не знаю...

— Конечно, знаешь! Была же какая-то причина, чтобы бросить.

Он, как всегда, прав. Причина действительно была.

— Долгая история...

— Ничего, у нас вся ночь впереди.

— Тебе правда казалось, что у меня талант? — тихо спросила Элли.

— Пойдем, — вместо ответа сказал Ной, беря ее за руку. — Я тебе кое-что покажу.

Элли поднялась и прошла вслед за ним в гостиную. Ной остановился и указал на картину, висевшую над каминной полкой. Элли вскрикнула от удивления — как же она не заметила ее раньше? Неужели через столько лет ее рисунок все еще цел?

— Ты ее сохранил?

— Конечно. Замечательная картина.

Элли скептически взглянула на Ноя, и тот пояснил:

— Когда смотрю на нее, то чувствую, что живу. Иногда даже потрогать хочется, настолько она живая. Формы, краски — да все, вплоть до теней. Твоя работа просто изумительна, Элли, я часами готов на нее любоваться. Бывает, она мне даже снится.

— Серьезно? — потрясенно спросила Элли.

— Серьезнее некуда.

Она молчала.

— Тебя что, никто, кроме меня, никогда не хвалил?

— Мой учитель когда-то, — с трудом выговорила Элли. — Да, боюсь, я ему не верила.

Ной молча ждал продолжения. Элли, глядя в сторону, сказала:

— Сколько себя помню, все время рисовала — карандашами, красками... Став немного постарше, начала догадываться, что у меня неплохие способности. Кроме того, мне просто нравилось рисовать. Помню, как я работала над этой картиной, добавляя то одно, то другое, изменяя ее по мере того, как менялись наши отношения. Сейчас даже не помню, когда начала ее рисовать и что именно пыталась выразить, но получилось... то, что получилось. Помню, как в то лето, вернувшись домой, трудилась без остановки. Думаю, таким образом я пыталась забыться, ослабить боль нашего расставания. Кончилось все тем, что я всерьез занялась искусством, поступила в колледж и почувствовала — это именно то, для чего я рождена. В одиночку торчала целыми днями в студии и рисовала, рисовала, рисовала. В эти минуты я чувствовала необыкновенную свободу, радость от того, что создаю нечто новое, прекрасное. Незадолго до выпуска наш профессор, который еще писал критические статьи в одной из газет, посоветовал мне всерьез заняться живописью, он считал, что у меня настоящий талант. А я его не послушалась...

Элли замолчала, пытаясь собраться с мыслями.

— Родители считали, что девушке моего круга не пристало зарабатывать на жизнь какими-то там картинами. И я забросила занятия. Сто лет не держала кисти в руках.

Она посмотрела на картину.

— И попробовать не хочется? — спросил Ной.

— Не знаю. Даже не уверена, что у меня получится. Столько лет прошло...

— Конечно, получится. Я точно знаю, Элли! Твой талант никуда не делся — он живет в твоем сердце, а не в руках. О таком даре только мечтать можно — ты же прирожденная художница!

Последние слова Ной сказал с такой горячностью, что Элли поняла — это не простая любезность, он на самом деле верит в ее талант. Она с удивлением ощутила, как много это значит для нее. И тут случилось что-то, чему Элли не смогла дать четкого определения.

Будто пропасть, много лет отделявшая тоску от наслаждения, пропасть, которую она создала своими руками, стала вдруг не такой глубокой, начала исчезать.

Почему так вышло, Элли не знала, она просто повернулась к Ною, протянула руку и пожала его пальцы — робко, нежно, потрясенная тем, что после стольких лет разлуки он нашел именно те слова, которые ей так важно было услышать. Их взгляды встретились, и Элли вновь почувствовала, что с этим человеком ее связывают совершенно особые отношения.

И на мгновение, на крошечный миг, подобный вспышке в ночном небе, она испугалась, что снова влюбилась в Ноя Кэлхоуна.

На кухне негромко звякнул таймер, и Ной обернулся, разрушив очарование момента, разорвав протянувшуюся между ним и Элли невидимую ниточку. Глаза Элли сказали Ною то, что он так хотел услышать, однако в голове все звучал голос — ее голос, говорящий о любви к другому мужчине. Проклиная про себя таймер, Ной вернулся на кухню и вытащил хлеб из печки. Обжег пальцы, уронил буханку на пол и заметил, что масло на сковороде уже кипит. Высыпал туда овощи, они затрещали, поджариваясь. Бормоча себе под нос, достал из холодильника масло, часть намазал на хлеб, часть оставил для крабов.

Элли тоже вошла в кухню и, вежливо кашлянув, предложила:

— Может, я на стол накрою?

— Конечно. Тарелки вон там. — Ной махнул хлебным ножом. — Приборы и салфетки там. На салфетки не скупись, они нам понадобятся — крабов трудновато есть аккуратно.

Говоря это, Ной старался не смотреть на Элли — боялся понять, что ему лишь показалось, будто там, у камина, между ними что-то произошло. Мысли Элли тоже без конца возвращались к той минуте, они приятно согревали душу. Слова Ноя о том, что она прирожденная художница, эхом отдавались в голове, пока Элли накрывала на стол: тарелки, приборы, соль, перец. Ной передал ей хлеб, их пальцы соприкоснулись.

Он, казалось, целиком был занят готовкой — помешал овощи на сковороде, приподнял крышку кастрюли и убедился, что через минуту-другую крабы будут готовы. Ной и Элли перебрасывались ничего не значащими словами.

— Ты когда-нибудь ела крабов?

— Пару раз. Правда, только в салатах.

Ной хохотнул:

— Выходит, ты на пороге великих открытий! Погоди секунду...

Он исчез на втором этаже, затем появился с темно-синей рубашкой в руках и приглашающе распахнул ее перед Элли.

— Вот, надень, а то запачкаешь платье.

Она послушалась и вдохнула запах, которым пропиталась рубашка, — запах Ноя.

— Не бойся, она чистая, — произнес он, увидев, как изменилось ее лицо.

Элли засмеялась:

— Знаю. Я просто подумала о нашем первом свидании. Помнишь, ты дал мне свой пиджак?

Ной кивнул:

— Помню. Мы гуляли с Фином и Сарой. Всю дорогу до твоего дома Фин подталкивал меня под локоть, намекая, чтобы я взял тебя за руку.

— А ты так и не взял.

— Нет, — подтвердил Ной.

— А почему?

— Стеснялся, боялся даже. Сам не знаю. Считал, что еще не время.

— Сдается мне, ты был довольно застенчивым мальчиком.

— Не застенчивым, а воспитанным, — подмигнув, поправил Ной, и Элли улыбнулась.

Овощи и крабы дошли до готовности почти одновременно.

— Осторожно, горячо! — предупредил Ной, передавая Элли кастрюлю, и они уселись друг против друга за небольшой деревянный стол. Тут Элли обнаружила, что чай остался на стойке, поднялась и взяла его. Ной разложил по тарелкам овощи и хлеб, затем добавил к ним по одному крабу. Элли с опаской уставилась на своего.

— Он похож на большого клопа.

— На очень вкусного клопа, смею добавить, — отозвался Ной. — Сейчас покажу тебе, как его есть.

Он споро разделался с крабом, ловко отделяя мясо и перекладывая его на тарелку Элли.

Она попробовала повторить, но клешни отламывались с трудом, а для того, чтобы снять панцирь, ей пришлось усердно трудиться пальцами. Сначала Элли застеснялась своей неловкости, ее смутило, что Ной видит каждую ее ошибку, но, вспомнив, что его никогда не волновали подобные вещи, чуть не засмеялась над собственными опасениями.

— А где теперь Фин? — спросила Элли.

Ной ответил не сразу. Он словно нехотя проговорил:

— Погиб на войне. Его эсминец был торпедирован в сорок третьем.

— Вот несчастье, — огорчилась Элли. — Вы ведь так дружили, я знаю.

— Дружили, — хрипловато подтвердил Ной. — Я часто его вспоминаю. Особенно нашу последнюю встречу. Перед отправкой на фронт я заглянул домой попрощаться, и мы столкнулись на улице. Фин работал в банке, как и его отец. Мы провели вместе почти неделю. Иногда мне кажется, что это я убедил его завербоваться в армию. Думаю, он остался бы дома, если бы не я...

— Ты тут ни при чем, — возразила Элли, коря себя за то, что подняла эту тему.

— Знаю. Мне просто не хватает его, вот и все.

— Мне он тоже нравился. С ним всегда было весело.

— Да, Фин умел рассмешить.

Элли смущенно посмотрела на Ноя:

— Знаешь, ведь Фину я тоже нравилась.

— Знаю, он мне говорил.

— Говорил? А что именно?

Ной пожал плечами:

— Да обычную для него чепуху: что ты без конца приставала к нему, приходилось чуть ли не палкой тебя отгонять.

Элли рассмеялась:

— И ты поверил?

— Конечно. А с чего бы мне не верить старому приятелю?

— Вы, мужчины, вечно стоите друг за друга, — заключила Элли, погладив Ноя по руке. — Расскажи лучше, что ты делал с тех пор, как мы расстались.

Они заговорили наперебой, будто пытаясь наверстать упущенное время. Ной рассказал о том, как уехал, о работе на ферме и о сборе металлолома в Нью-Джерси, тепло отозвался о Моррисе Голдмане и вскользь, опуская детали, коснулся военных лет. Вспомнил отца и пожаловался, как ему его не хватает.

Элли рассказала о поступлении в колледж, о занятиях живописью, о том, как пошла работать в госпиталь, о своей семье и друзьях, о занятиях благотворительностью. Будто сговорившись, ни один из них не упомянул тех, с кем встречался за эти четырнадцать лет. Даже Лона никто из них не назвал, и хотя оба заметили это упущение, промолчали о нем.

Позже Элли попыталась вспомнить, давно ли вот так говорила с Лоном. Хотя жених умел внимательно слушать ее и они почти никогда не спорили, он был не из тех, кто легко раскрывает перед тобой душу. Как и отец Элли, Лон чувствовал неловкость, делясь с кем-то мыслями или переживаниями. Элли пыталась объяснить, что таким образом она просто-напросто хочет стать ему ближе, однако без особого успеха.

И теперь, сидя здесь, Элли наконец поняла, чего ей не хватает в отношениях с женихом.

Небо совсем потемнело, луна поднялась выше, а двое на кухне, сами того не заметив, вновь потянулись друг к другу, восстанавливая незримую нить, связавшую их когда-то.

* * *

С крабами было покончено, да и темы для беседы иссякли. Ной посмотрел на часы и понял, что уже совсем поздно. Звезды вовсю сияли на черном небе, сверчки почти умолкли. Беседа с Элли много значила для него, однако он беспокоился, не наболтал ли лишнего, и гадал, что она теперь думает о нем и о его жизни.

Ной поднялся и налил в чайник свежей воды. Они с Элли отнесли в раковину грязную посуду, вытерли стол, и Ной снова наполнил чашки кипятком, добавив в каждую чайный пакетик.

— Как насчет того, чтобы вернуться на веранду? — спросил он, передавая Элли чашку. Элли согласилась и вышла первой. Ной захватил для нее плед, на случай если снаружи похолодало, и они опять уселись в кресла-качалки. Плед укрывал колени Элли. Краем глаза Ной наблюдал за ней. «Господи, какая же она красавица!» — думал он, чувствуя необъяснимую боль.

Во время ужина произошло непоправимое.

Он снова влюбился. Ной понял это только сейчас, когда они сели рядышком на веранде. Влюбился вот в эту, совершенно новую Элли, а не в свое давнее воспоминание.

С другой стороны, он никогда и не пытался ее разлюбить, это его крест, его судьба.

— Вечер был чудесный, — мягко сказал Ной.

— Да, — отозвалась Элли. — Просто волшебный.

Ной посмотрел на звезды, их мерцающий свет напомнил ему, что уже очень поздно и Элли скоро уедет. В душе воцарилась страшная пустота. Пусть эта ночь никогда не кончается! Что сказать? Как уговорить ее остаться?

Ной не знал. Придется промолчать, тем самым признав свое поражение.

Они качались каждый в своем кресле, неторопливо и слаженно. В воздухе над рекой неслышно ныряли летучие мыши. Возле лампочек на веранде вились мошки. Наверное, какие-то люди именно сейчас занимаются любовью.

— Расскажи мне что-нибудь, — попросила наконец Элли. Ее голос прозвучал как-то интимно. Или Ною просто этого хотелось?

— Что?

— Почитай стихи, как тогда под дубом.

Так он и сделал, декламируя одно стихотворение за другим, наслаждаясь теплой ночью. Уитмен и Томас, потому что ему нравился их язык, Теннисон и Браунинг, потому что сюжеты казались такими знакомыми.

Элли откинула голову на спинку кресла, закрыла глаза и почувствовала приятное тепло и покой. И причиной тому были не только стихи, но и произносивший их голос Ноя. Только все, вместе взятое, могло произвести на нее такое впечатление. Стихи и голос невозможно было разделить, да Элли и не пыталась, ей хотелось лишь слушать и слушать. Поэзия, думала Элли, создана не для того, чтобы ее понимать. Она вдохновляет и трогает до глубины души безо всяких объяснений.

После разлуки с Ноем Элли несколько раз ходила на вечера поэзии в колледже, слушала совершенно разных чтецов и совершенно разные стихи, но очень скоро бросила. Ни один из выступавших не произвел на нее серьезного впечатления, все они мало походили на истинных любителей поэзии.

Ной и Элли молча покачивались в креслах, попивая чай, погрузившись каждый в свои мысли. Беспокойство, которое привело сюда Элли, к ее большой радости, исчезло, однако чувства, занявшие его место, приводили в смятение, они кипели и бурлили в душе, как опавшие листья в водовороте. Сначала Элли попыталась их не заметить, сделать вид, что ничего особенного не происходит, и все же скоро пришлось признать, что новые чувства ей очень нравятся. Сто лет она не переживала ничего подобного!

Лон никогда не вдохновлял ее так, как Ной. Наверное, жених и не сумел бы, даже если бы захотел. Может быть, поэтому они так и не дошли до полной близости. Лон, конечно, пытался добиться Элли, заходя то с одной, то с другой стороны, используя то цветы, то нежные укоры. Она отказывалась, объясняя, что хочет подождать до свадьбы. Лон неохотно смирялся, а Элли иногда тревожилась, думая, что могло бы случиться, если б жених вдруг узнал про Ноя.

И дело было не только в воспоминаниях о Ное. Дело было в самом Лоне. Он с головой уходил в свою работу, она отнимала большую часть его времени. Работа всегда стояла на первом месте, и для Лона не существовало таких вещей, как потраченный впустую вечер, чтение стихов, кресло-качалка на веранде. Именно поэтому дела жениха шли успешно, и Элли не могла не уважать его за упорство. Но ей самой этого было недостаточно, хотелось чего-то еще, хотелось иного. Может быть, романтики, может быть, тихой беседы при свечах, а может быть, просто надоело все время находиться на втором месте.

Ной тоже погрузился в размышления. Для него этот вечер стал самым необыкновенным в жизни, он вспоминал его снова и снова, воскрешая в памяти каждое мгновение. Все, что сказала или сделала сегодня Элли, казалось ему невероятно ярким и значительным.

Сейчас, сидя рядом с любимой, Ной гадал: вспоминала ли она все эти годы, как целовалась с ним в лучах лунного света, как стремились навстречу друг другу их обнаженные тела? Мечтала ли о нем так, как он мечтал о ней? Тосковала ли в разлуке?

Ной поднял глаза к небу и вспомнил тысячи бессонных, одиноких ночей. Приезд Элли всколыхнул все чувства, и Ной боялся, что ему с ними не справиться. Он снова хотел Элли, хотел любить ее и встречать ответную любовь. Больше всего на свете.

А теперь это невозможно. Она обручена.

В воцарившейся тишине Элли почувствовала, что Ной думает о ней, и это было очень приятно. Она не могла, да и не хотела до конца угадать его мысли. Главное, что они о ней.

Сама Элли вспоминала беседу за ужином и размышляла об одиночестве. Она почему-то не могла представить, чтобы Ной читал стихи или делился мечтами с другой женщиной. Не похоже это на него, если Элли хоть что-нибудь понимает в людях.

Она отставила чашку, закрыла глаза и провела рукой по волосам.

— Устала? — нарушив тишину, спросил Ной.

— Немножко. Знаешь, мне, наверное, пора.

— Знаю, — бесцветным голосом отозвался Ной.

Элли, однако, не поднялась с кресла. Взяв чашку, она выпила последний глоток, чувствуя, как чай согревает ее изнутри. Она пыталась вобрать в себя этот вечер — луну высоко в небе, ветер в макушках деревьев, ночную прохладу.

Элли взглянула на Ноя. Отсюда, сбоку, особенно бросался в глаза шрам на его щеке. Интересно, когда он появился: может быть, во время войны? Не был ли Ной ранен? Он не говорил об этом, а Элли не спрашивала — просто боялась представить его страдания.

— Надо идти, — все же произнесла она, протягивая Ною плед.

Он кивнул и молча поднялся. Они пошли к машине, осенние листья похрустывали под ногами. Ной открыл дверцу, и Элли попыталась стащить с себя его рубашку, но он остановил ее:

— Оставь. Мне так хочется.

Элли не удивилась, ей тоже этого хотелось. Она поплотнее запахнула полы рубашки и обхватила себя руками, защищаясь от холодного ветра. Почему-то вспомнилось, как будучи старшеклассницей, после танцев она стояла на веранде своего дома, ожидая поцелуя.

— Вечер был просто замечательный, — сказал Ной. — Как здорово, что ты нашла меня!

— И правда здорово, — согласилась Элли.

Ной призвал на помощь всю свою храбрость.

— Завтра увидимся?

Простой вопрос. Элли знала, что она должна ответить, чтобы не усложнять себе жизнь. «Боюсь, нет» — вот и все, что надо сказать, и поставить точку. Но она почему-то молчала.

Демон-искуситель овладел ею, он подталкивал Элли, дразнил ее, и она никак не могла произнести нужных слов. В поисках ответа Элли посмотрела в глаза Ноя — глаза мужчины, в которого когда-то была влюблена. И все тут же встало на свои места.

　　　　　　　　　　Николас Спаркс

— С удовольствием.

Ной оторопел. Он и представить не мог, что Элли согласится. Ему хотелось схватить ее в объятия, и он с трудом сдержался.

— Сможешь приехать к полудню?

— Конечно. А что будем делать?

— Увидишь. Поплывем в одно интересное место.

— А я там была?

— Нет. Это особенное место.

— А где оно?

— Сюрприз.

— А мне там понравится?

— Непременно!

Элли шагнула к машине, быстро, чтобы Ной не успел ее поцеловать. Она, правда, не знала толком, будет ли он пытаться, и все-таки не имела ни малейшего желания проверять. Ей было бы слишком трудно его остановить, и так голова шла кругом. Она скользнула за руль и вздохнула с облегчением. Ной захлопнул дверцу машины, Элли завела двигатель и опустила боковое стекло.

— До завтра! — сказала она, и лунный свет отразился в ее глазах.

Ной помахал вслед отъезжавшему автомобилю. Машина проехала по дороге, ведущей в город, и скрылась за дубовой рощей, вдали затих шум мотора. Клем подошла к хозяину, он наклонился и потрепал ее по шее, с той стороны, где она не могла почесаться сама. Последний раз взглянув на дорогу, человек и собака вернулись на веранду.

Ной снова уселся в кресло, теперь уже в одиночестве. Он перебирал в уме события сегодняшнего вечера, как будто проигрывал его в замедленном темпе — краски, звуки, движения. Не хотелось ни читать стихи, ни играть на гитаре. Он сам не знал, чего ему хочется.

— Она обручена, — прошептал наконец Ной и вновь замолчал. Так он просидел несколько часов — только качалка поскрипывала. Кругом стояла тишина, время от времени появлялась Клем и тыкалась носом в руку хозяина, будто спрашивая: «Что это с тобой?»

И вот около полуночи, тихой октябрьской полуночи, случившееся вдруг обрушилось на Ноя всей своей тяжестью, и он затосковал. Если бы кто-нибудь посмотрел на него сейчас, он увидел бы человека, прожившего целую жизнь за какую-нибудь пару часов. Человека, который, тяжело поникнув, сидел в кресле-качалке и тщетно пытался унять слезы.

А они все текли и текли.

Телефонные звонки

Лон повесил трубку.

Он звонил в семь, потом в полдевятого. А сейчас сколько? Лон посмотрел на часы. Без пятнадцати десять.

Где же Элли?

Лон точно знал, что она в том городе, где обещала быть, потому что разговаривал со служителем отеля и тот сообщил, что такая дама действительно зарегистрировалась и покинула гостиницу около шести. Вышла поужинать? Нет, вряд ли, ведь она не вернулась до сих пор.

Лон потряс головой и откинулся в кресле. Он, как обычно, засиделся в офисе допоздна, кругом было пусто и тихо. Давняя привычка — задерживаться на работе, когда идет суд, даже если заседание прошло нормально. Лон не мыслил жизни без юриспруденции, вечерние бдения давались ему легко и помогали не расслабляться.

Он знал, что выиграет это дело, потому что выступил успешно и очаровал присяжных. Уж это он умел, а потому и проигрывал редко. Кроме того, Лон научился выбирать беспроигрышные дела, случаи, в которых был заранее уверен. Такое умение приходило с опытом, и все же лишь несколько адвокатов в городе могли им похвастаться, и это подтверждалось размерами их гонораров.

И главное — ежедневный кропотливый труд. Пристальное внимание к деталям, особенно в самом начале карьеры. Мелкие детали, такие незначительные на вид, привели Лона к успеху, и у него вошло в привычку никогда ими не пренебрегать. Буква закона или подача фактов — не важно, Лон придирчиво обдумывал каждую мелочь, и в юности это помогло ему выиграть несколько, казалось бы, провальных дел.

Вот и сейчас Лона беспокоили именно детали.

Не по поводу дела, которое он вел, нет, тут все было в порядке.

А вот Элли...

Черт подери! Он не мог сообразить, что же его зацепило. Ведь утром он отпустил ее совершенно спокойно. Ему так казалось. А примерно через час после ее звонка в голове будто что-то щелкнуло. Мелочь.

Малюсенькая деталь.

Что-то не важное? Или важное?

Думай... Думай... Черт, да что ж это такое?!

Очередной щелчок.

Какие-то... какие-то... слова?

Элли что-то не так сказала? Точно. А что именно? И когда? В телефонном разговоре? Да, в начале. И в конце еще повторила. А что? Вроде ничего особенного...

Однако теперь Лон был уверен, что его встревожили именно слова.

Что же она сказала?

Доехала прекрасно, зарегистрировалась в отеле, прошлась по магазинам. Номер телефона оставила. Собственно, все.

Лон представил себе Элли. Он любил ее, в этом не было сомнений. И не только за красоту и очарование. Эта девушка стала его лучшим другом, надежным причалом. После тяжелого рабочего дня так приятно позвонить Элли, поговорить с ней, зная, что она внимательно выслушает все новости, рассмеется в нужном месте и ответит именно то, что хочется услышать.

Но больше всего Лону нравилось, как открыто Элли выражает свои мысли. Он вспомнил, как после пары свиданий сказал ей то, что говорил обычно всем женщинам — что не готов пока к серьезным отношениям. Неожиданно для него (другие женщины вели себя совершенно иначе) Элли просто кивнула и сказала: «Понятно». А в дверях обернулась и добавила: «Дело не во мне, не в твоей работе и даже не в твоей свободе. Дело в том, что ты одинок. Твой отец прославил фамилию Хаммонд, и тебя, наверное, всю жизнь с ним сравнивают. А тебе хочется независимости. Вот ты и мечешься, пытаясь найти человека, который заполнит твою внутреннюю пустоту. Только этим человеком можешь стать лишь ты сам».

Слова эти звучали в голове Лона всю ночь, а утром он позвонил Элли и попросил дать ему вторую попытку. После недолгих уговоров она согласилась.

С тех пор прошло четыре года, и Лон уже не мыслил жизни без Элли. Конечно, им надо видеться почаще, но для практикующего адвоката нормированный рабочий день — утопия.

Элли никогда не предъявляла никаких претензий, но Лон все равно проклинал себя за то, что уделяет невесте слишком мало времени. Как только они поженятся, он обязательно что-нибудь придумает. Например, попросит секретаря регистрировать предложения, которые действительно стоят внимания...

Регистрировать...

Щелк!

Регистрировать... Зарегистрировать... Зарегистрировалась...

Лон поднял глаза к потолку. Зарегистрировалась?

Точно! Где-то здесь. Лон зажмурился. Нет, ничего в голову не приходит. Что же она сказала?

Главное — не упустить ощущение...

Да думай же!

Нью-Берн.

Слово само выскочило в голове — будто кнопку нажали. Мелкая деталь, мельчайшая. Да, именно Нью-Берн. Ну и что?

«Нью-Берн», — мысленно повторял Лон, чувствуя, что название ему знакомо. Несколько раз там проходили слушания дел, которыми он занимался. Иногда приходилось проезжать через Нью-Берн по дороге на побережье. Ничего особенного — заштатный городишко, они с Элли даже никогда не бывали там вместе...

Зато Элли бывала там без него...

Лон почувствовал, как холодная рука сжала ему сердце. Еще один кусочек головоломки встал на место.

Еще один... должны быть и другие...

Элли, Нью-Берн... и... и... какая-то вечеринка. Мать Элли. Ее мимолетное замечание. Лон и не придал ему значения. Что же она тогда сказала?

И тут Лон побледнел. Он вспомнил, что было сказано много лет назад. Сказано матерью его невесты.

Она мимоходом вспомнила, что когда-то Элли влюбилась в юнца из Нью-Берна, и еще назвала это щенячьей любовью. Лон с улыбкой повернулся тогда к невесте.

А вот она не улыбалась. Лон никогда не видел ее такой рассерженной. И тогда он понял, что она любила того незнакомца гораздо сильнее, чем думала мать. Может быть, даже сильнее, чем его, Лона.

А теперь Элли в Нью-Берне. Интересно.

Лон сложил ладони, будто для молитвы, и прижал их к губам. Простое совпадение? Возможно, все в порядке и Элли действительно ходит по магазинам. Снимает стресс, любуется антиквариатом... Возможно. Даже скорее всего.

И все же... Все же... Что, если?..

Лона терзало растущее подозрение. Ему стало по-настоящему страшно.

Что, если... если она сейчас... с ним?

Он проклял судебное дело, из-за которого не смог поехать с Элли. Интересно, сказала бы она ему тогда правду? Хочется надеяться.

Он просто не может потерять ее. Надо сделать все возможное, чтобы удержать ее. Эта девушка — главное, что у него есть, другой такой не найти, как ни пытайся.

Дрожащими пальцами Лон вновь набрал оставленный Элли номер — в четвертый и последний раз за этот вечер.

Длинные гудки.

Каяк и забытые мечты

Элли проснулась рано, разбуженная радостным чириканьем скворцов. Она протерла глаза и ощутила, что затекло все тело. Спалось ей плохо, она видела кошмар за кошмаром и часто вскакивала, каждый раз замечая, как стрелки часов передвинулись еще немного, будто подтверждая, что время не стоит на месте.

Она так и заснула в рубашке Ноя и сейчас, снова вдохнув его запах, вспомнила вчерашний вечер. В памяти всплыли смех и разговоры, особенно те минуты, когда Ной говорил о ее таланте — так неожиданно и так приятно. Эхо его слов зазвучало в душе Элли, и она вдруг поняла, что горевала бы, не договорись они увидеться снова.

Элли выглянула из окна и в лучах раннего солнца увидела множество птиц, перепархивавших туда-сюда в поисках корма. Ной тоже был ранней пташкой, вспомнила Элли; только он приветствовал рассвет немного по-другому — отправляясь поплавать на каноэ или каяке. Однажды они вместе наблюдали восход солнца, скользя по воде на узенькой лодочке. Элли пришлось тогда сбежать из дома через окно, потому что родители нипочем не отпустили бы ее. К счастью, ей удалось ловко улизнуть, и через некоторое время она уже была в объятиях Ноя. Они вместе любовались рассветом. «Посмотри», — шепнул Ной, и Элли впервые в жизни увидела, как встает солнце. Голова ее лежала на плече любимого, рассвет был великолепен — чего еще можно было желать?

Элли встала, ощутив босыми ступнями холодок пола, и пошла умываться. А вдруг Ной и сейчас на реке — встречает новый день? Ей почему-то хотелось, чтобы так и было.

Она угадала.

Ной проснулся еще до рассвета, быстро оделся — вчерашние джинсы, футболка, фланелевая рубашка, синяя куртка, ботинки. Почистил зубы, выпил стакан молока и прихватил со стола пару печений. Поздоровался с Клем —

та лизнула его пару раз в знак приветствия — и спустился к причалу, где хранился каяк. Ной любил бывать на реке — прогулка на лодке успокаивала, расслабляла мышцы, приводила в порядок мысли.

Старенький каяк, потертый и побитый волнами, висел на двух ржавых крюках у причала прямо над водой, повыше, чтобы избежать сырости и рачков. Ной снял лодку, поставил у ног и быстро проверил, все ли в порядке. Скупыми, привычными движениями спустил каяк на воду и вскоре уже летел вверх по течению — сам себе и штурман, и мотор.

Прохладный воздух покалывал кожу, небо переливалось разными красками — черное, как уголь, прямо над головой, ближе к горизонту оно синело, голубело и наконец, касаясь земли, становилось серым. Ной глубоко вдохнул аромат сосен и солоноватой воды и задумался. Вот по чему он скучал больше всего, живя на севере. Там он слишком много работал и слишком мало бывал у воды. Походы, прогулки, свидания, работа... Как только выдавалось свободное время, Ной покидал город и обошел немало мест в Нью-Джерси, но поплавать на лодке не удалось ни разу. Поэтому, вернувшись домой, он первым делом кинулся к реке.

В рассвете на реке есть что-то особенное, почти мистическое. Именно здесь Ной встречал почти каждый новый день, не важно — солнечный и ясный или хмурый и холодный. Наклоняясь над стальной поверхностью воды, он греб ритмично, в такт звенящей в душе мелодии, и встречал то семью черепах, отдыхающих на полузатопленном бревне, то цаплю, взмывающую в небо, — перебирая ногами прямо по поверхности воды, она отрывалась от нее и исчезала в серебристой предрассветной дымке.

Ной выгреб на середину потока и увидел, как по речной глади разливается оранжевый свет солнца. Он остановился, легкими гребками удерживаясь на месте, чтобы не снесло течением, и посмотрел на верхушки деревьев, подсвеченные утренними лучами. Ему всегда нравилось останавливаться вот так, в момент зарождения нового дня, и смотреть, как расцветает мир — словно каждый раз рождается заново. Ной снова с силой заработал веслами, прогоняя ночную вялость и встречая утро.

В голове всплывали вопросы, они вертелись и подпрыгивали, как капли воды на раскаленной сковородке. Что за человек этот Лон? Как он относится к Элли? И зачем все-таки она сюда приехала?

Вернувшись к пристани, Ной почувствовал себя гораздо бодрее, чем раньше. Он с изумлением отметил, что плавал около двух часов. Хотя на реке время часто пролетает незаметно, и Ной давно привык к таким фокусам.

Он повесил на место каяк, пару минут помахал руками, потянулся и направился к сараю, где хранилось каноэ. Вытащил лодку на берег, положил у воды. Повернув к дому, Ной с неприятным удивлением заметил, что у него чуть-чуть ломит ноги.

Рассветная дымка так и не рассеялась до конца, да и ломота в ногах обычно предвещала дождь. Ной посмотрел на запад и увидел тучи — плотные и низкие, пока еще далекие, они неуклонно двигались в его сторону. Слабый, но ровный ветер гнал их все ближе и ближе, и Ной понял, что не хотел бы оказаться на улице, когда эти тучи прольются. Черт! Сколько у него осталось времени? Пара-другая часов, может, чуть больше. А может, и меньше.

Ной вошел в дом. Принял душ, надел новые джинсы, красную рубашку и черные ковбойские ботинки, причесался и спустился в кухню. Вымыл вчерашнюю посуду, немного прибрал в комнатах, сварил себе кофе и вышел на веранду. Небо уже потемнело. Ной кинул взгляд на барометр. Стрелка стояла неподвижно, хотя через какое-то время она наверняка поползет вниз. На западе-то уже совсем черно.

Ной давным-давно взял за правило не шутить с погодой и сейчас встревоженно размышлял, стоит ли снова выходить на воду. Дождь — ерунда, а вот молнии, особенно на реке... Каноэ — слабое укрытие, когда воздух кругом наэлектризован до предела.

Отложив решение на потом, Ной сделал последний глоток кофе и пошел к сараю, где хранились инструменты. Взял топор, большим пальцем проверил остроту лезвия и тут же потянулся за точильным камнем. «Тупой топор опасней острого», — говаривал отец.

Следующие двадцать минут Ной колол дрова и складывал их в поленницу — точными, легкими движениями, не уставая и не останавливаясь. Несколько полешков он отбросил в сторону и, закончив колоть, занес их в дом, уложив около камина. Там, на своем привычном месте, висела картина Элли. Ной посмотрел на нее и даже потрогал, все еще не веря до конца, что девушка, потерянная, казалось, навсегда, действительно приехала к нему. Господи, что же в Элли такого, что после стольких лет разлуки он не может думать о ней спокойно? Что за странную власть она имеет над ним?

Ной повернулся и, покачивая головой, снова вышел на веранду. Барометр показывал все то же. Ной взглянул на часы.

Элли вот-вот приедет.

Элли выскочила из ванной и принялась одеваться. Она распахнула окно и убедилась, что сегодня совсем не холодно. Поэтому выбор пал на кремового цвета легкое платье с длинными рукавами и воротником-стойкой — мягкое и удобное, оно удачно облегало фигуру и смотрелось очень неплохо. И еще у Элли были с собой белые босоножки, в тон платью.

Утро Элли провела, бродя по центру города. Великая депрессия прокатилась по нему, повсюду оставив свои следы, и все же новое богатство робко приподнимало голову. «Масонский театр» — кстати, старейший кинотеатр в округе — несколько обветшал, но по-прежнему манил поклонников парочкой новых фильмов. Парк Форт-Тоттен за четырнадцать лет совсем не изменился; казалось, и дети, игравшие там после школы, остались теми же. Элли улыбнулась, вспомнив детство, когда многое было гораздо проще. Или это только сейчас так кажется?

А теперь все сложнее некуда. Будто бы и не случайно, будто бы все предопределено. Интересно, что бы она делала сейчас, не попадись на глаза та статья? Представить нетрудно — ее обыденная жизнь не отличалась особенным разнообразием. Сегодня среда, а это значит бридж в загородном клубе, потом заседание Лиги женщин, где скорее всего обсуждали бы организацию очередного благотворительного фонда для какой-нибудь школы или больницы, потом какой-нибудь визит вместе в мамой, а после домой — приготовиться к обеду с Лоном, потому что в среду он заканчивает в семь. Это их традиционный совместный выход — раз в неделю.

Элли подавила досаду. Может, когда-нибудь все изменится? Лон часто обещает стать свободнее и даже выполняет свои обещания — на неделю или на две, — а потом опять как всегда: «Прости, родная, сегодня не могу. Очень занят, понимаешь? Мы обязательно встретимся, как только я освобожусь».

Она никогда не ссорилась с женихом, зная, что Лон говорит чистую правду. Работа адвоката требует много времени — и до суда, и на заседаниях, — вот только зачем Лону тратить столько сил на ухаживания, если теперь они почти и не видятся?

Элли дошла до картинной галереи и, погруженная в раздумья, чуть не прошла мимо, но вовремя опомнилась и вернулась. У дверей помедлила, вспомнив, когда она в последний раз заходила в музей. Года три назад, а может, и больше. Интересно, почему?

Она вошла внутрь — галерея открывалась рано, одновременно с большинством магазинов на Мейн-стрит — и побрела вдоль увешанных картинами стен. Художники явно местные, большинство полотен так или иначе изображают океан. Синие просторы, песчаные пляжи, старомодные парусники, шлюпки, волноломы, пеликаны, чайки. И волны. Разной формы и величины, всевозможных оттенков — через несколько минут просмотра они стали казаться ей совершенно одинаковыми. Похоже, художники здесь то ли ленивые, то ли не очень-то одаренные.

Хотя... На следующей стене висело несколько картин, которые понравились Элли гораздо больше. Подписанные именем, которое она никогда не слышала, — Элейн, они напомина-

Николас Спаркс

ли о греческой архитектуре. Картину, которая больше всего привлекла ее внимание, художник, видимо, с умыслом, заполнил нарочито небольшими фигурками людей, размашистыми линиями и яркими цветовыми пятнами. Все изображение казалось несколько размытым, как бы не в фокусе, зато краски были живыми, линии причудливо извивались и притягивали глаз, будто подсказывая, на что еще обратить внимание. Картина выглядела динамичной, и чем больше Элли смотрела на нее, тем больше она ей нравилась. Элли уже решила купить вещицу, когда осознала, что полотно напоминает ее прежние работы. Сообразив это, Элли рассмотрела картину еще внимательнее и подумала, что Ной, возможно, прав и ей стоит вновь заняться живописью.

В половине десятого Элли вышла из галереи и направилась в находящийся неподалеку супермаркет. Понадобилось несколько минут, чтобы отыскать необходимое, но в конце концов все, что нужно, нашлось в канцелярском отделе, в товарах для школьников. Бумага, мелки и карандаши — не бог весть что, однако вполне приличного качества. Это, разумеется, не слишком серьезно, да ведь надо с чего-то начинать. В приподнятом настроении Элли вернулась в отель, села за стол и принялась за работу: никакой особой задумки, просто желание снова почувствовать, как цвета и образы перетекают из воспоминаний и фантазий прямо на бумагу. Нарисовав несколько абстракций, она попробовала сделать набросок улицы, на которую выходило окно ее комнаты, и удивилась, как легко рисунок возник на бумаге — будто она никогда и не бросала любимого занятия.

Элли с удовольствием рассмотрела законченный набросок и задумалась, что бы еще изобразить. Придумала! На этот раз она рисовала не с натуры и руководствовалась только собственной фантазией. Это оказалось потяжелее, чем запечатлеть вид за окном, но принесло ничуть не меньшее удовольствие.

Время летело незаметно. Элли не забывала поглядывать на часы, чтобы не опоздать к Ною, и около двенадцати закончила рисовать. Работа заняла около двух часов, зато результат превзошел все ожидания. Рисунок выглядел так, будто Элли работала над ним гораздо дольше. Свернув картинку, Элли спрятала ее в сумку и, выходя из номера, посмотрела на себя в зеркало. Вид на удивление отдохнувший, даже непонятно почему.

Вниз по лестнице и на улицу. Уже закрывая за собой дверь отеля, Элли услышала голос:

— Мисс!

Она обернулась, сообразив, что зовут ее. Тот же портье, что и вчера, на лице — плохо скрываемый интерес.

— Да?

— Вам звонили вечером. Несколько раз.

Элли насторожилась:

— Звонили?

— Да. Мистер Хаммонд.

О Господи!

— Лон? Он звонил?

— Да, мэм. Четыре раза. Я поднял трубку, когда он позвонил во второй раз. Он был очень обеспокоен. Объяснил, что он ваш жених.

Элли натянуто улыбнулась, пытаясь скрыть волнение. Четыре раза? Четыре... Что ж это такое? А вдруг дома что-то случилось?

— Он что-нибудь сказал? Это что-то срочное?

Портье покачал головой:

— Нет, мисс, ничего. Мне показалось, он скорее из-за вас беспокоится.

Хорошо. Это хорошо. Только сердце все равно не на месте. Что за настойчивость? Зачем так названивать? Ведь это совсем не похоже на Лона. А что, если она вчера проговорилась?

Или он сам каким-то образом узнал... Нет. Это невозможно. Если только кто-то из знакомых не увидел ее вчера и не сообщил... Но этому человеку пришлось бы проследить за ней до самого дома Ноя. Каким образом?

Никуда не денешься — нужно поскорее перезвонить Лону. И все же Элли медлила. Это ее время, и она хочет провести его так, как ей угодно. Она не планировала разговаривать с женихом по крайней мере до вечера. В душе родилось странное чувство, что звонок Лону может испортить весь последующий день. И она не представляла, как объяснит ему свое отсутствие. Ужин в ресторане и поздняя прогулка? Неплохо. Или кино...

— Мисс?

Почти полдень. Где сейчас может быть Лон? Вероятно, в офисе... Нет, в суде! Элли почувствовала облегчение, с души словно камень свалился. Она не может позвонить жениху, даже если бы и хотела. Такая реакция оказалась сюрпризом для нее самой. Наверное, это нехорошо — так думать о Лоне, но странным образом Элли это ничуть не заботило. Она взглянула на часы:

— Сейчас действительно почти двенадцать?

Портье тоже посмотрел на часы и кивнул:

— Да, без пятнадцати.

— К сожалению, — объяснила Элли, — мой жених сейчас в суде, и я не могу с ним связаться. Если он позвонит еще раз, не могли бы вы передать, что я отправилась по магазинам и обязательно перезвоню попозже?

— Конечно, — согласился портье, однако в глазах его светилось любопытство. «А где же ты была прошлой ночью?» Этот человек точно знал, во сколько она вернулась. Слишком поздно для одинокой девушки в этом небольшом городке.

— Спасибо, — улыбнулась в ответ Элли. — Я вам очень обязана.

Через две минуты она уже ехала к Ною, наслаждаясь наступившим днем и выбросив из головы мысли о телефонных звонках. А ведь еще вчера волновалась бы. Интересно, что бы это значило?

Еще через четыре минуты, когда Элли уже переезжала мост, Лон позвонил в отель из зала суда.

Бегущая вода

Ной сидел в кресле-качалке и пил сладкий чай, ожидая, не зарокочет ли вдали машина. Услышав наконец звук мотора, он обогнул дом и увидел, как автомобиль Элли карабкается вверх по склону и притормаживает там же, где вчера — под большим дубом. Клем, подбежав к машине, приветственно гавкнула и завиляла хвостом. Элли помахала из окна.

Выйдя из машины, она потрепала Клем по голове и улыбнулась подошедшему Ною. Элли показалась ему гораздо спокойнее и увереннее, чем вчера, и опять в душе возникло чувство, которое он и сам бы не смог толком описать. Не такое, как при первой встрече. Совсем новое — не воспоминание, а нечто другое, то, что за ночь стало еще сильнее и заставило его смущаться в ее присутствии.

Элли тоже двинулась навстречу, в руке у нее была небольшая сумка. Ной чуть не вздрогнул, когда она положила руку ему на талию и легонько чмокнула в щеку в знак приветствия. Потом отстранилась и весело сказала:

— Привет! И где мой сюрприз?

Ной заставил себя хоть немножко расслабиться.

— А где же «Доброе утро» или «Как спалось»?

Элли улыбнулась. Терпение никогда не входило в перечень ее добродетелей.

— Ладно! Доброе утро. Как спалось? Где мой сюрприз?

Ной прищелкнул языком и, помедлив, ответил:

— Даже не знаю, как тебе сказать...

— Что?

— Хотел отвезти тебя кое-куда, да тучи, боюсь, помешают.

— Почему?

— Гроза. Можем угодить прямо в нее. Молнии на реке очень опасны.

— Но ведь еще даже не капает! Где это место? Очень далеко?

— Около мили вверх по реке.

— И я там никогда не была?

— В это время года — нет.

Элли подумала секунду, посмотрела на небо и решила:

— Значит, плывем. Дождь так дождь.

— Точно?

— Точно.

Ной окинул взглядом тучи, которые заметно приблизились.

— Тогда выходим немедленно. Внести сумку в дом?

Элли кивнула. Ной взял сумку и поставил на стул в гостиной. Потом нашел пакет, набил его хлебом и взял с собой.

Они пошли к реке, туда, где на берегу лежало каноэ. Элли держалась чуть ближе к Ною, чем вчера.

— Что же это за место?

— Увидишь.

— Ну хоть намекни!

— Хорошо. Помнишь, как мы встречали восход солнца на реке?

— Как раз сегодня утром вспоминала. Я тогда даже расплакалась.

— По сравнению с тем, что ты увидишь сегодня, тот рассвет покажется тебе серым и будничным.

— Значит, это на самом деле чудесно.

Ной прошел еще несколько шагов, прежде чем ответить:

— Так же чудесно, как ты, Элли.

Он словно бы хотел добавить что-то еще, да не стал, и Элли просто улыбнулась в ответ. Отвернувшись, она почувствовала щекой прикосновение ветра и вдруг осознала, что дует куда крепче, чем утром.

Они остановились. Ной бросил пакет в лодку и проверил, все ли готово, потом спустил каноэ на воду.

— А мне что делать?

— Полезай внутрь.

Элли села, и Ной оттолкнул лодку от берега. Потом ловко перешагнул с причала прямо в лодку, балансируя, чтобы не перевернуть ее. Элли восхищенно следила за ним, зная, что проделать это сложнее, чем кажется, когда смотришь на быстрые, легкие движения Ноя.

Она устроилась на носу каноэ, лицом к Ною. Он заикнулся было, что так Элли не сможет оценить чудесный вид, но она лишь покачала головой и сказала, что ей и здесь хорошо.

И не покривила душой.

Стоило повернуть голову — и она с легкостью могла видеть все окружающее, а напротив нее находился Ной — тот самый «пейзаж», на который она и приехала посмотреть. Расстегнутая рубашка открывала напрягавшиеся при каждом гребке мышцы на груди Ноя. Рукава он закатал, и натренированные ежедневной греблей мускулы рук тоже вздувались в такт движениям весла.

«Природная грация, — думала Элли. — Когда Ной гребет, в его движениях определенно есть какая-то грация. Что-то врожденное, неотъемлемое, будто кто-то из предков генетически передал ему любовь к воде. Так, должно быть, выглядели первопроходцы, исследовавшие эти, тогда еще дикие, места».

Элли не могла сравнить Ноя ни с одним из своих знакомых. Сложный и противоречивый, а вместе с тем близкий и понятный — странная, волнующая комбинация. С первого взгляда — обычный сельский парень, вернувшийся домой с войны, спроси его — он и сам по-другому о себе не скажет. Но на самом деле он сложнее, чем кажется. То ли любовь к поэзии, то ли отцовское воспитание сделали Ноя ни на кого не похожим. Впечатление такое, что он ощущает жизнь полнее, чем все окружающие, — именно это качество и привлекло когда-то Элли.

— О чем думаешь?

Элли чуть не вздрогнула — настолько неожиданно вопрос Ноя вернул ее к действительности. Она сообразила, что молчит с тех пор, как отплыли, и мысленно поблагодарила Ноя за то, что он не мешал. Какой же он тактичный!

— О хорошем, — тихо ответила Элли и по глазам Ноя поняла, что тот догадался, о ком ее мысли. Это было очень приятно, хотелось верить, что и он думал о ней.

Элли ощутила, как в душе что-то зашевелилось, точно так же, как много лет назад. Близость Ноя, его мускулистого обнаженного тела, вызвала это странное чувство. Глаза Элли на секунду затуманились, в груди потеплело, и, вспыхнув, она отвернулась, пока Ной не заметил, как краска залила ее шею и щеки.

— Далеко еще? — спросила Элли.

— Полмили или около того. Уж никак не больше.

Они помолчали.

— Здесь очень красиво, — сказала наконец Элли. — Так чисто. Так тихо. Словно в прошлое попадаешь.

— В чем-то ты права. Река вытекает из леса. Вокруг него нет ни единой фермы, вода чистая, будто хрусталь. Такая же чистая, как сотни лет назад.

Элли наклонилась к Ною:

— Скажи, а что ты запомнил из того лета?

— Все.

— А особенно?

— Ничего.

— Не помнишь ничего особенного?

Подумав, Ной произнес тихо и серьезно:

— Нет, ты не поняла. Я не шутил, когда сказал, что запомнил абсолютно все. Я помню каждую минуту, проведенную рядом с тобой, и в каждой было что-то необыкновенное. Не могу выбрать одно воспоминание и сказать, что оно лучше другого. Все лето, целиком, было замечательным, самым лучшим, я бы такое каждому пожелал. Как тут выберешь? Поэты часто говорят, что любовь нельзя обуздать, она побеждает и логику, и здравый смысл. Вот так и у меня. Я ведь не собирался влюбляться, да и ты вряд ли. Однако, как только мы встретились, стало ясно — этого не миновать. И когда мы полюбили друг друга, несмотря на все препятствия и различия между нами, родилось нечто новое и прекрасное. Мне кажется, такая любовь дается лишь однажды, и поэтому каждый миг оставил след в моем сердце, и ни одного из них я никогда не забуду.

Элли, потрясенная, смотрела в глаза Ноя. Никто никогда не говорил ей таких слов. Никто и никогда. Она даже не знала, что ответить, и сидела молча, чувствуя, как пылает ее лицо.

— Прости, Элли. Не сердись, если смутил тебя, — я не хотел. Только то лето всегда со мной и, что бы ни случилось, со мной и останется. Теперь, конечно, все по-другому, прошлого не вернуть, но ты для меня не изменилась.

— Ты меня не смутил, Ной, — растроганно отозвалась Элли. — Просто я никогда ничего подобного не слышала. Ты прекрасно сказал. Только настоящий поэт может найти такие слова. Я ведь говорила, что ты — единственный поэт в моей жизни.

Весь дальнейший путь они согласно молчали. Вдалеке прокричала скопа, у берега плеснула форель. Ритмично двигалось весло, от него разбегались небольшие волны и мягко покачивали лодку. Ветер стих, тучи сгустились над маленьким каноэ, которое двигалось к загадочной цели.

Элли замечала все: каждый звук, каждый шорох. Будто душа ожила, и в ней заново проснулись забытые чувства. Перед ее мысленным взором сменялись образы последних дней. Элли вспомнила гнавшее ее сюда беспокойство — шок, вызванный статьей, бессонные ночи, тревожные дни. Еще вчера она подумывала, не сбежать ли домой. Теперь тревога рассеялась, сменившись чем-то другим, гораздо более приятным, и, сидя в старом красном каноэ, Элли умиротворенно смотрела по сторонам.

Нет, хорошо, что она все-таки приехала и своими глазами увидела, что Ной стал именно таким, каким она его представляла. Теперь Элли увезет с собой это сокровенное знание. В последние годы она видела слишком много мужчин, искалеченных войной, трудностями, бедностью. Они не смогли уберечь свою душу, а вот Ною это удалось.

Сейчас время бизнеса, а не поэзии, окружающие с трудом понимают таких, как он. Американская экономика переживает подъем — так, во всяком случае, пишут газеты, — и люди рвутся вперед, пытаясь забыть ужасы войны. Элли понимала причины, толкающие их в погоню за славой и богатством, но с грустью замечала, что многие, подобно Лону, теряют в этой гонке чувство прекрасного.

Ну кто в Роли стал бы тратить время на восстановление обшарпанного дома? Читал бы

Уитмена или Элиота, наслаждаясь звучанием строк, размышляя о душе? Любовался рассветом или закатом из старого каноэ? Поступки непрактичные, бесполезные, и все же Элли чувствовала их необходимость — они делали жизнь ярче.

Как и искусство. Удивительно, но лишь приехав сюда, Элли смогла осознать, в чем ее призвание. Или, вернее, вспомнить. Как же она умудрилась забыть, до чего это важно — своими руками творить красоту? Ведь Элли была рождена именно для этого, тут нет никаких сомнений. Сегодняшнее утро доказало, что она настоящая художница и что бы ни случилось, она снова начнет рисовать. Непременно начнет, кто бы что ни говорил.

Интересно, Лон ее поддержит? Элли припомнила, как однажды, пару месяцев спустя после их знакомства, она показала ему свой рисунок. Абстракцию вроде той, что висела над камином у Ноя и так восхищала его, только чуть менее выразительную. Лон рассмотрел картину, изучил ее вдоль и поперек, а потом спросил, что там нарисовано. Элли даже отвечать не стала.

Она тряхнула головой, прогоняя несправедливые мысли. Разумеется, Лон не Ной, Элли и полюбила-то его совершенно за другое. Лон надежный и спокойный, кроме того, они люди одного круга, с детства Элли готовили к мысли, что она выйдет замуж именно за такого человека. С Лоном ее не ждут никакие сюрпризы, их жизнь будет приятной и стабильной, он станет примерным супругом, а она — заботливой женой. Они поселятся неподалеку от друзей и родителей, заведут детей, займут определенное положение в обществе. Ведь именно так Элли и собиралась — нет, мечтала! — жить. И хотя их любовь нельзя назвать страстной, она давно убедила себя, что страсть приходит и уходит, а дружба и взаимопонимание, остаются. С этим у нее с Лоном все было в порядке, и Элли считала, что ей этого достаточно.

Однако теперь, наблюдая за Ноем, за тем, как легко и усердно он гребет, Элли ощутила, что поторопилась с выводами. Что бы ни делал Ной, он излучал чувственность, и Элли поймала себя на том, что любуется им не как другом, а как желанным мужчиной. Такое не пристало женщине, обрученной с другим, и Элли попыталась отвлечься, рассматривая реку и окружающий лес. И все же ловкие, ритмичные движения Ноя снова и снова притягивали ее взгляд.

— Вот мы и на месте, — сказал Ной, подгребая к группке деревьев на берегу.

Элли удивленно огляделась, но не заметила ничего интересного.

— Где?

— Здесь, — ответил Ной, направляя лодку к поваленному стволу, который полностью скрывал и так почти незаметную для глаз протоку.

Ной повел каноэ вокруг дерева, а потом проплыл под ним, причем и ему, и Элли пришлось пригнуться, чтобы не стукнуться о ствол.

— Закрой глаза, — шепнул он Элли. Она послушно прижала пальцами веки.

Элли слышала плеск воды и чувствовала, как лодка продвигается вперед, все дальше от реки.

— А теперь, — объявил Ной, — открывай!

Лебеди и молнии

Элли и Ной сидели посреди озерца, питавшегося водами реки. Озеро было небольшое и совершенно незаметное, пока к нему не подплывали вплотную. Зато необыкновенное. Каноэ окружили дикие лебеди и гуси. Тысячи птиц, в некоторых местах они сгрудились так тесно, что полностью закрывали воду. Стаи лебедей издалека походили на айсберги.

— Как красиво, Ной! — выдохнула Элли.

Она во все глаза смотрела на прекрасных птиц. Ной молча показал на стайку птенцов, совсем маленьких, видимо, только что вылупившихся. Малыши старательно плыли вслед за взрослыми гусями, упорно стараясь не отстать.

Воздух наполняли гортанные крики и гогот. Каноэ медленно двигалось к центру озера. Птицы, казалось, не замечали его, кроме тех, кому пришлось отплыть в сторону, чтобы их не задело лодкой. Элли потянулась погладить лебедя и ощутила под пальцами упругие перья. Ной достал со дна лодки пакет с хлебом и протянул его спутнице. Она взяла кусок, раскрошила и бросила птицам, стараясь в первую очередь накормить птенцов. Они потешно плавали кругами, пытаясь схватить побольше крошек, и Элли заливалась смехом.

Скоро вдалеке бабахнул гром — гроза приближалась не спеша, но неумолимо. И Элли и Ной поняли, что пора возвращаться.

Ной повел каноэ обратно к реке, еще усерднее, чем раньше, работая веслом. Элли сидела молча, потрясенная увиденным.

— Ной, — наконец спросила она, — откуда там столько птиц?

— Не знаю. Обычно лебеди с севера летят зимовать на озеро Матамускит, а в этом году почему-то решили остановиться здесь. Почему — кто их знает! То ли погода напугала, то ли сбились с дороги. Все равно рано или поздно они вернутся домой.

— Так они не останутся?

— Вряд ли. Их ведет инстинкт, а это чужое место. Гуси, может, и останутся, а лебеди двинутся дальше.

Ной поспешно греб к дому — черные тучи клубились прямо над лодкой, заморосил дождь. Сверкнула молния, прогремел гром, ближе и четче, чем раньше. Дождь усилился, Ной погнал лодку еще быстрее, вкладывая все силы в каждый рывок.

Капли потяжелели...

Дождь перешел в настоящий ливень...

Завыл ветер...

Хлынуло как из ведра... Ной поднажал, помчался наперегонки с тучами, ругаясь себе под нос, проклиная мать-природу...

Дождь полил стеной. Элли следила, как с почерневшего неба летят капли — наискось, будто пытаясь победить земное притяжение, призывая себе на помощь порывы западного ветра, завывающего в кронах деревьев. Настоящая буря.

Элли наслаждалась грозой. Она запрокинула лицо навстречу потокам воды, не переживая, что платье промокнет в считанные секунды. Интересно, а Ной это заметит? Наверное, да...

Элли запустила пальцы в мокрые волосы. Совершенно мокрые — и это замечательно, и все вокруг замечательно, и сама она давно не чувствовала себя лучше. Сквозь шум дождя она слышала, как тяжело дышит Ной, его дыхание

Николас Спаркс

возбуждало Элли, а ведь она уже и забыла, как это бывает.

Громыхнуло прямо над лодкой, ливень хлынул еще сильнее. Элли никогда такого не видела, она подняла голову и захохотала, отбросив все попытки остаться сухой. Ной немного успокоился — до этого момента он опасался, что Элли испугается бури, хотя решение сплавать к озеру приняла именно она.

Через пару минут лодка наконец добралась до причала. Ной шагнул к Элли и помог ей выбраться на землю, после чего выпрыгнул сам. Вытащил каноэ — подальше, чтобы его не унесло волнами, — и не спеша, крепко-накрепко привязал к причалу, решив, что минутой больше, минутой меньше — уже не важно.

Затягивая узлы, Ной кинул взгляд на Элли, и у него перехватило дыхание. Невероятно красивая, она спокойно ждала, когда он закончит, не обращая на дождь ни малейшего внимания. Даже не попыталась чем-то прикрыться или спрятаться куда-то. Ной невольно загляделся на ее грудь под платьем — мокрая ткань плотно облепила тело, четко очертив все линии и изгибы. И хотя дождь был теплым, соски Элли напряглись и поднялись, как два маленьких горных пика. Ной почувствовал неодолимое желание и резко отвернулся, сердито и смущенно бормоча себе под нос и надеясь, что шум грозы заглушит его бормотание. Наконец он закрепил каноэ и выпрямился. Элли неожиданно взяла его за руку. Они молча стояли под струями дождя, и Ной вдруг подумал, как хорошо было бы провести эту ночь вместе.

Элли думала о том же. Чувствуя тепло ладони Ноя, она представила, как его рука гладит ее, ласкает все ее тело. Одна мысль об этом заставила ее задохнуться, отдалась жаром в груди и между ног.

Все изменилось с тех пор, как она сюда приехала. Элли не смогла бы назвать точное время: вчера вечером после ужина, или сегодня днем в каноэ, или на озере, когда смотрели на лебедей, а может быть, только сейчас, когда они шли, взявшись за руки, к дому, — не важно, она просто знала, что снова влюбилась в Ноя Тейлора Кэлхоуна, а скорее всего никогда не переставала его любить.

Натянутость в их отношениях давно исчезла. Ной и Элли чувствовали себя легко и свободно, когда вошли в прихожую и остановились, отряхивая с одежды воду.

— Тебе есть во что переодеться?

Элли покачала головой. Она так и не успокоилась, так и не справилась с волнением и теперь гадала, заметно ли это по ее лицу.

— Я найду тебе что-нибудь. Может, не очень по размеру, зато сухое и теплое.

— Да что угодно, — отозвалась Элли.

— Сейчас принесу.

Ной стряхнул с ног мокрые ботинки и исчез на втором этаже, а через минуту появился с парой спортивных брюк и рубашкой в одной руке и джинсами и еще одной рубашкой — в другой.

— Вот, — сказал он, протягивая ей рубашку и брюки. — Можешь переодеться наверху, в спальне. Если захочешь принять душ — в ванной чистое полотенце.

Элли благодарно улыбнулась и поднялась по лестнице, спиной чувствуя взгляд Ноя. Войдя в спальню, она закрыла дверь, кинула сухую одежду на кровать и стянула с себя промокшую. Отыскала в шкафу вешалку-плечики, повесила мокрое платье и белье, а затем отнесла их в ванную, чтобы не закапать пол в комнате. Ее странно волновало то, что она ходит по спальне Ноя совершенно обнаженной.

Элли не захотелось вставать под душ — ей нравилось, какой мягкой стала кожа после дождя, наверное, как у людей, которые жили давным-давно. В согласии с природой. Как Ной. Элли натянула на себя его одежду и посмотрелись в зеркало. Брюки были явно велики, но она заправила в них рубашку и подвернула внизу, чтобы не волочились по полу. Ворот рубашки чуть порвался, одежда свисала с правого плеча, и тем не менее Элли понравилось, как это выглядит. Она подтянула рукава почти до локтей, вытянула из шкафа пару носков и, надев их, вернулась в ванную — поискать расческу.

Расчесав мокрые, спутанные волосы, Элли снова посмотрела в зеркало и пожалела, что не захватила с собой пару заколок.

И тушь для ресниц не помешала бы. Ну ладно, что ж теперь делать. Она подправила жалкие остатки утреннего макияжа.

Закончив, Элли бросила в зеркало последний придирчивый взгляд и, несмотря ни на что, осталась собой довольна.

Она спустилась вниз и нашла Ноя в гостиной. Присев на корточки перед камином, он усердно пытался раздуть огонь. Увлеченный своим занятием, Ной не заметил появления Элли, и она остановилась в дверях, рассматривая его. Он тоже переоделся — чистая рубашка, облегающие джинсы. Рубашка обтягивала широкие плечи Ноя, на воротник спускались завитки влажных волос.

Ной поворошил дрова в камине, добавил щепок для растопки. Элли наблюдала за ним, скрестив ноги и прислонившись к дверному косяку. Через минуту-другую камин занялся ровным, устойчивым пламенем. Потянувшись подобрать откатившиеся поленья, Ной краем глаза заметил наконец Элли и резко повернулся к ней.

Даже в его старой одежде она показалась ему прекрасной. Такой прекрасной, что Ной смутился и попытался сделать вид, что целиком занят дровами.

— Я и не слышал, как ты вошла, — пробормотал он, надеясь, что голос звучит обыденно.

— Конечно. Я старалась не шуметь.

Элли заметила смущение Ноя и даже поняла его причину. Вот в этом он совсем не изменился — стесняется, совсем как в юности.

— И давно ты тут стоишь?

— Пару минут.

Ной отряхнул руки о джинсы и кивнул в сторону кухни:

— Чаю хочешь? Я вскипятил воды, пока ты была наверху.

Ничего не значащий разговор, просто чтобы не молчать. Черт побери, до чего же она красива!

Заметив, какими глазами смотрит на нее Ной, Элли задумалась на секунду и решила не бороться с соблазном.

— А если чего-нибудь покрепче? Или еще слишком рано?

Ной ухмыльнулся:

— В буфете есть немного бурбона. Подойдет?

— Отлично.

Ной взъерошил мокрые волосы и вышел в кухню.

Раскаты грома на улице. Дождь хлынул с новой силой. Элли с удовольствием слушала, как тугие струи гулко лупят по крыше, как потрескивают дрова и гудит пламя в камине, озаряя комнату неярким светом. Она повернулась к окну, и в тот же миг хмурое небо прорезала слепящая молния. Удар грома. Совсем близко, прямо над домом.

Элли взяла с дивана плед и села на коврик у камина. Скрестив ноги, она закуталась, смотря на пляшущие языки огня. Вернулся Ной, уселся рядом. Поставил прямо на пол два стакана. За окном, казалось, потемнело еще больше.

Раскат грома. Оглушающий. Буря в самом разгаре, ветер закручивает дождевые струи в маленькие смерчи.

— Ну и погодка, — пробормотал Ной, глядя, как бьются в стекло потоки воды. Он сидел совсем рядом с Элли, хоть они и не касались друг друга. Ее грудь слегка поднималась и опускалась в такт дыханию, и Ной в который раз понял, что вспоминает Элли обнаженной. Усилием воли он загнал запретные мысли поглубже.

— А мне нравится, — сделав глоток бурбона, отозвалась Элли. — Я всегда любила грозу. Даже в детстве.

— Почему? — спросил Ной, думая: «Надо говорить о чем угодно и держать себя в руках».

— Не знаю. Есть в ней какая-то романтика.

В зеленых глазах Элли играло отражение пламени.

— Помнишь, как мы попали в грозу? Перед моим отъездом?

— Помню, конечно.

— Я тот вечер часто вспоминала, уже дома, в Роли. Вспоминала, как ты выглядел тогда. Я тебя, кстати, именно таким и запомнила.

— А я сильно изменился?

Элли сделала еще глоток и взяла Ноя за руку. Бурбон приятно согревал.

— Нет, не очень. Главное осталось. Конечно, теперь ты старше, опытней, а вот взгляд все тот же. Так же любишь читать стихи и путешествия по реке. И еще ты добрый, даже война не смогла сделать тебя жестоким.

Элли ласково погладила ладонь Ноя.

— Элли, там, на реке, ты спрашивала, что я запомнил из нашего лета. А что запомнила ты?

Элли задумалась, а когда заговорила, голос ее зазвучал тихо, будто издалека:

— Как мы занимались любовью. Ты стал моим первым мужчиной, это оказалось так замечательно, гораздо лучше, чем я могла себе представить.

Ной отхлебнул из стакана и сердито тряхнул головой, отгоняя навязчивые воспоминания, а Элли продолжала:

— Я так боялась сначала, просто тряслась, а вместе с тем очень тебя хотела... Знаешь, я до сих пор рада, что именно ты стал у меня первым. Подарил мне это счастье.

— Я тоже.

— А ты? Ты боялся?

Ной молча кивнул. Элли улыбнулась:

— Я так и думала. Помню, ты вечно стеснялся. Особенно в первую встречу. Спросил, есть ли у меня парень, и когда я ответила, что есть, помрачнел и молчал весь вечер.

— Не хотел встревать между вами.

— Однако именно этим ты и занялся, несмотря на врожденную скромность, — засмеялась Элли. — К моей большой радости, — добавила она.

— А ты рассказала ему о нас?

— Как только вернулась домой.

— Трудно было?

— Вовсе нет. Я лишь о тебе и думала.

Элли легонько пожала руку Ноя и подсела поближе. Положила голову ему на плечо. Ной ощутил ее запах — пахло свежестью и дождем. А она продолжала:

— Помнишь, мы шли домой после праздника... Я спросила: «Мы еще увидимся?» — а ты кивнул так, будто не очень-то и хотел.

— Просто не знал, что сказать. Я такой, как ты, никогда не встречал. Вот и оторопел.

— Хорошо, что я по твоим глазам догадалась. Они вечно тебя выдают. Ни у кого нет таких выразительных глаз.

Элли подняла голову с плеча Ноя и посмотрела ему в лицо.

— Я никого не любила больше, чем тебя тем летом.

Молния за окном. В тишине, ожидая удара грома, они смотрели друг на друга так, будто куда-то испарились разделявшие их четырнадцать лет. И туда же исчез вчерашний день с его неловкостью и разговорами про Лона. Наконец загремел гром, и Ной, будто проснувшись, со вздохом отвел глаза.

— Как жаль, что ты так и не прочла моих писем.

Элли ответила не сразу. После паузы она сказала:

— Могу повторить то же самое. Я ведь и тебе написала целую кучу с тех пор, как вернулась домой. И ни одно не отослала.

— Почему? — изумился Ной.

— Боялась.

— Чего?

— Что ты забыл меня. Что не любил меня так, как я.

— Ерунда какая-то! Да я только о тебе и думал!

— Теперь-то я знаю. Поняла по твоим глазам, едва приехала. А тогда все было по-другому, я была глупой, перепуганной девчонкой, не знала, что и думать.

— Ты о чем?

Элли запнулась, подбирая слова.

Николас Спаркс

— Понимаешь, я ждала-ждала, а письма от тебя все не приходили. Я пожаловалась подружке, рассказала ей обо всем, а она объяснила, что тут нет ничего удивительного — ты получил от меня что хотел, а писать небось и не собирался. Я ей, конечно, не поверила — я ведь знала, что ты не такой, но твое молчание и ее слова... Я боялась, что для меня прошедшее лето значило больше, чем для тебя. А когда я уже голову сломала, пытаясь понять, куда ты запропастился, мне написала Сара. И сообщила, что ты уехал из Нью-Берна.

— И у Сары, и у Фина был мой новый адрес...

Элли предостерегающе подняла ладонь и договорила:

— Я знала и все же не решалась спросить. Боялась, что ты для того и уехал, чтобы начать новую жизнь. Без меня. Иначе почему ты не писал? Не звонил? Не заехал, в конце концов?

Ной молча смотрел в сторону.

Элли продолжала:

— Я ничего о тебе не слышала, а боль со временем начала утихать, и я решила, что лучше все забыть. Правда, в каждом парне, который пытался со мной познакомиться, я невольно искала твои черты. Когда это становилось невыносимым, я писала тебе очередное письмо. И не отправляла — боялась узнать правду. Думала, что ты давно живешь своей жизнью, любишь другую, и не желала ничего о ней знать. Хотела сохранить наше лето в душе таким, каким оно мне запомнилось.

Элли говорила так открыто и доверчиво, что Ной еле удержался, чтобы не поцеловать ее. Нельзя. Она вовсе не за этим приехала. Но до чего же она красива...

— Самое последнее письмо я написала пару лет назад. Когда познакомилась с Лоном. Я писала твоему отцу, чтобы узнать, где ты и что с тобой, хотя и не была уверена, живет ли он на прежнем месте. Тем более — война...

Звук ее голоса растаял, и некоторое время они сидели в молчании, погруженные в свои мысли. Молнии ярко освещали небо. Наконец Ной заговорил:

— Все-таки жаль, что ты не отправляла письма.

— Почему?

— Было бы здорово знать, как ты, чем занимаешься.

— Боюсь, тебе стало бы скучно — мою жизнь не назовешь интересной. Кроме того, я давно уже не та, что была.

Николас Спаркс

— Ты лучше, чем была, Элли.

— Спасибо, Ной, милый...

Ной знал, что должен прикусить язык и не дать словам, что вертятся в голове, вырваться наружу. Надо держать себя в руках, так, как он делал все эти четырнадцать лет. Надо-то надо, да вот чувство более сильное овладело им настолько, что он плюнул на самоконтроль и выпалил все, что было у него на душе, надеясь, что это поможет им вернуть чудо, которое они переживали много лет назад.

— Я сказал так не потому, что я милый. А потому что люблю тебя и никогда не переставал любить!

Полено в камине треснуло, рассыпая искры, их тут же подхватило тягой и унесло в трубу. Ной и Элли смотрели на тлеющие останки дерева, прогоревшие почти насквозь. Надо бы встать, подбросить новое поленце, но они не двигались с места.

Элли сделала глоток бурбона и почувствовала, что слегка опьянела. Или это не только алкоголь туманит ей голову? Почему она придвинулась поближе к Ною и покрепче обняла его? За окном стало совсем черно.

— Дай-ка я дровишек подкину, — попросил Ной, и Элли пришлось отодвинуться. Он подошел к камину, приподнял защитный экран и добавил пару поленьев. Поворошил пламя кочергой, чтобы новые дрова быстрее занялись, и вернулся обратно.

Элли свернулась калачиком рядом с Ноем, положила голову ему на плечо. Потом протянула руку и легонько погладила по груди. Ной шепнул:

— Прямо как раньше. Как тогда, летом...

Элли улыбнулась — он опять угадал ее мысли. Они молча смотрели на пламя и легкий дымок.

— Ной, ты не спрашивал, и все-таки я хочу сказать...

— Что?

— У меня больше никого не было. Ты не просто первый. Ты — единственный. Можешь ничего не говорить, я лишь хочу, чтобы ты знал.

Ной молчал, глядя в сторону. Элли было тепло и уютно. Ее пальцы ласково поглаживали его тело под рубашкой.

Вот так же, обнявшись, они сидели в последний вечер перед расставанием на волноломе, построенном, чтобы сдерживать воды реки Ньюс. Элли плакала, боясь, что они больше не увидятся и она никогда уже не будет счастлива. Ной тогда молча сунул ей в руку записку. Элли прочла ее уже по дороге домой. Записку эту она сберегла и перечитывала столько раз, что текст навсегда врезался в память.

Расставаться так больно, потому что наши души едины. Они были и будут едины. Наверное, мы прожили тысячу жизней — и в каждой встречались, чтобы расставаться вновь и вновь. Завтрашнее «прощай» — лишь одно из многих за последние десять тысяч лет и тех сотен и тысяч лет, что ждут нас впереди.

Когда смотрю на тебя, я знаю, что твоя красота и прелесть расцветают с каждой новой жизнью. А я ищу тебя каждую свою жизнь. Не просто кого-то похожего, нет, именно тебя, потому что наши души не могут друг без друга. А потом, по неизвестной причине, мы снова вынуждены расставаться.

Хочется сказать тебе, что все будет хорошо, что я сделаю все возможное и мы снова будем вместе. Но если нам суждено попрощаться навсегда, то в следующей жизни я вновь найду тебя, и тогда, быть может, звезды переменятся — мы больше не расстанемся и будем любить друг друга вечно.

«А вдруг он прав? — размышляла Элли. — Вдруг его предсказание рано или поздно сбудется?»

Она никогда не принимала это всерьез, просто хваталась за слова Ноя как за спасательный круг, его записка помогла ей пережить трудные времена. Однако сейчас, сидя рядом с любимым, Элли с грустью думала, что их встреча лишь доказывает его мысль о расставаниях. Если только звезды не переменились...

Переменились они или нет — ей смотреть не хотелось. Хотелось сидеть вот так, рядом с Ноем, обнимать его, чувствовать тепло его тела. Элли задрожала так же, как в юности, как в первый раз, когда они были вместе.

Наконец-то все как надо. И камин, и бурбон, и гроза — все именно так, как надо. А четырнадцать долгих лет ничего не значат.

Снова молния. Пламя легко танцует на раскаленной добела древесине. Октябрьский дождь бьется в оконное стекло, заглушая остальные звуки.

И тогда Ной и Элли сдались. Они перестали бороться с тем, что пытались победить долгих четырнадцать лет. Элли подняла голову с плеча Ноя, посмотрела на него затуманенными глазами, и он нежно поцеловал ее в губы.

Николас Спаркс

Кончиками пальцев она легонько гладила его щеку, а он целовал ее снова и снова — ласково, нежно. Элли ответила на его поцелуй и почувствовала, как, словно по волшебству, исчезают разделявшие их годы.

Она сомкнула веки и приоткрыла рот, чувствуя, как Ной проводит пальцами по ее руке — не спеша, будто поддразнивая. Он касался губами ее шеи, лица, зажмуренных век, и при каждом поцелуе она чувствовала его дыхание. Найдя ладонь Ноя, Элли потянула ее к своей груди и застонала, когда его пальцы погладили ее сквозь тонкую ткань рубашки.

Все происходящее казалось Элли сном, она откинулась назад и, прерывисто дыша, начала расстегивать пуговицы на рубашке Ноя — одну за другой. Он молча следил за ней, а она, добравшись до последней пуговицы, улыбнулась и провела ладонями по его горячей, чуть влажной груди. Потом, подавшись вперед, поцеловала его в шею и потянула рубашку назад, за плечи, так что Ною пришлось завести руки за спину. Элли подставила лицо для поцелуя и почувствовала, как Ной поводит плечами, стряхивая одежду на пол.

Освободившись, он протянул руки к Элли, приподнял подол ее рубашки и кончиками пальцев провел по животу, прежде чем поднять ей руки и снять рубашку через голову. У Элли перехватило дыхание, когда Ной, наклонив голову, поцеловал ее между грудей и скользнул языком к шее. Его руки нежно ласкали ее спину и плечи, Элли прижалась к любимому всем телом. Он целовал ее в шею, даже куснул легонько, когда она приподнялась, позволяя стащить с нее брюки. Пальцы Элли нашли молнию на джинсах Ноя, потянули застежку, и он выскользнул из тесной одежды. Они не спешили, их обнаженные тела, вздрагивая, вспоминали все, что когда-то пережили вместе.

Ной водил языком по шее Элли, а руки его скользили по ее горячему нежному телу — от грудей к животу, ниже, ниже и снова вверх. В который раз он поразился ее красоте: светилась нежная кожа, переливались густые волосы, озаренные неярким пламенем камина. Руки Элли ласкали его спину, сводя с ума.

Они легли, подвинувшись к камину. От жары воздух казался густым. Когда Ной одним плавным движением перекатился на нее, Элли слегка выгнула спину. Ной склонился над ней, зажав коленями ее бедра. Подняв голову, Элли целовала его подбородок и шею, касалась языком плеч, чувствуя солоноватый привкус раз-

Николас Спаркс

горяченного тела. Запустила пальцы в густые волосы и, притворно нахмурившись, попыталась притянуть любимого поближе, но он не дался. Вместо этого Ной потерся грудью о грудь Элли так, что все ее тело содрогнулось от удовольствия. Он повторял это снова и снова, целуя ее, слушая, как она издает сладкие, волнующие стоны.

Ной ласкал Элли до полного изнеможения, а потом они слились воедино. Элли вскрикнула и впилась пальцами в спину Ноя, зарылась лицом в его шею, чувствуя, как глубоко он проник в нее, такой сильный и нежный, отдавая ей тело и душу. Она ритмично задвигалась в такт движениям Ноя, позволяя ему унести себя в рай.

Элли открыла глаза и посмотрела на Ноя, невыразимо прекрасного в танцующем свете камина. Его кожа блестела от пота, капли срывались с груди и падали на ее грудь, как капли дождя за окном. И с каждой каплей, с каждым вздохом она чувствовала, как улетает, испаряется ее прежняя жизнь.

Их тела двигались в едином ритме, даря наслаждение и получая его, и внезапно Элли испытала ощущение, о котором раньше даже не догадывалась. Оно пронизывало все тело вновь и вновь, заставляя ее дрожать, пока наконец не угасло. Но едва Элли успела перевести дыхание, как удовольствие вернулось, а за ним еще и еще. Дождь кончился, и наступил вечер. Элли чувствовала себя измученной и счастливой.

Они провели остаток дня у камина, держа друг друга в объятиях, то занимаясь любовью, то просто глядя на пламя, жадно пожирающее поленья. Время от времени Ной начинал читать какое-нибудь из своих любимых стихотворений, а Элли слушала, лежа рядом с ним с закрытыми глазами и почти физически ощущая каждое слово. А потом они снова тянулись друг к другу, бормоча слова любви между поцелуями.

Наступила ночь. Элли и Ной словно пытались наверстать упущенные годы. Они заснули вместе, обняв друг друга. Ночью Ной несколько раз просыпался и смотрел на Элли, лежащую рядом с ним, усталую и счастливую, и чувствовал, что все в мире наконец-то встало на свои места.

Незадолго до рассвета, когда Ной опять проснулся, ресницы Элли дрогнули, глаза открылись, лицо озарила улыбка. Она протянула руку, коснулась его щеки. Он приложил палец к ее губам — нежно, ласково, не желая разрушить хрупкую тишину, и они долго-долго смотрели друг на друга.

Когда Ной почувствовал, что ком в горле растаял, он наклонился к Элли и шепнул:

— Ты — ответ на все мои молитвы. Ты — моя песня, моя мечта, мое дыхание. Я не понимаю, как смог прожить без тебя так долго. Я люблю тебя больше, чем ты можешь себе представить. Я всегда любил и буду любить только тебя.

— Ах, Ной! — только и выдохнула Элли, прижимаясь к нему. Сейчас она любила, хотела, желала его больше, чем когда-либо в жизни.

Необычная просьба

Тем же утром три человека — два адвоката и судья — сидели в одном из кабинетов здания суда. Внимательно выслушав Лона, судья покачал головой.

— Ваша просьба не совсем обычна, — удивленно сказал он. — Я надеялся, что мы закончим рассмотрение текущего дела сегодня. Неужели вы действительно не можете подождать до завтра или хотя бы до вечера?

— Не могу, ваша честь! — чересчур поспешно выпалил Лон.

«Держи себя в руках, — приказал он себе. — Успокойся».

— И проблема не имеет никакого касательства к сегодняшнему заседанию?

— Нет, ваша честь. Вопрос сугубо личный. Понимаю, что прошу многого, но это очень важно для меня.

«Так, уже лучше. Молодец».

Судья откинулся на спинку кресла, смерил Лона глазами.

— А вы что об этом думаете, мистер Бейтс?

Второй адвокат откашлялся.

— Мистер Хаммонд звонил сегодня утром, и я уже переговорил с клиентом. Он согласен подождать до понедельника.

— Хорошо, — сказал судья. — А не могут ли у вашего клиента впоследствии возникнуть претензии?

— Нет. Мистер Хаммонд согласился заново обсудить один из вопросов, интересующих моего клиента.

Судья нахмурился и внимательно посмотрел на обоих адвокатов.

— Не нравится мне все это, — сказал он наконец. — Совсем не нравится. Но мистер Хаммонд никогда ранее не обращался с подобными просьбами: вероятно, это действительно важно для него.

Он помолчал для пущего эффекта, посмотрел в какие-то бумаги на столе и произнес:

— Я согласен отложить заседание суда до понедельника. Не позднее девяти часов утра!

— Благодарю вас, ваша честь, — спокойно сказал Лон.

Через две минуты он выскочил из здания суда, сел в машину, припаркованную на противоположной стороне дороги, трясущимися руками включил зажигание и поехал в Нью-Берн.

Нежданная гостья

Пока Элли спала, Ной приготовил завтрак — ничего особенного: хлеб, ветчина, кофе — и поставил поднос с едой рядом с Элли, когда та проснулась. Они поели и вновь занялись любовью, не в силах насытиться друг другом, словно не веря в то, что произошло вчера. Выгнув спину, Элли кричала в голос, переживая волны наслаждения, а после обвивала руками тело Ноя, и они лежали рядом, пытаясь отдышаться, усталые и счастливые.

Они вместе приняли душ, Элли надела высохшее за ночь платье и принялась помогать Ною. Покормила Клем, проверила, не выбило ли грозой окна. Буря сломала две сосны и сорвала несколько досок с обшивки сарая, но, в общем, не причинила особого вреда.

Все утро Ной держал Элли за руку, они болтали — легко и непринужденно, только иногда он останавливался и подолгу молча смотрел на нее. В такие моменты Элли казалось, что надо, наверное, что-то сказать, однако ничего не приходило в голову, и она просто целовала Ноя.

Около полудня они вернулись в дом пообедать. Оба зверски проголодались, потому что вчера совсем забыли про еду. Ной отправился на кухню. Они поджарили цыплят, испекли еще пару буханок хлеба и уселись на веранде, поглощая обед под аккомпанемент песен пересмешника.

Когда Ной и Элли мыли посуду, раздался стук в дверь. Ной пошел открывать.

Стук повторился.

— Иду! — крикнул Ной.

Стучали все громче.

Ной подошел к двери.

Стук не умолкал.

— Я иду! — повторил Ной и открыл дверь.

«О Господи!» — пронеслось у него в голове.

В изумлении он уставился на красивую женщину лет пятидесяти, женщину, которую узнал бы всегда и всюду. Они молча смотрели друг на друга.

— Здравствуй, Ной, — произнесла гостья.

Ной не ответил.

— Можно войти? — ровным голосом спросила она.

Ной что-то пробормотал и посторонился, пропуская ее в дом.

— Кто это? — крикнула из кухни Элли, и гостья повернулась на звук голоса.

— Твоя мама, — наконец выдавил Ной и тут же услышал, как в кухне разбилась тарелка.

— Я так и знала, что ты здесь, — сказала дочери Энни Нельсон, когда все трое уселись за кофейный столик в гостиной.

— Откуда?

— Ты же мой ребенок. Когда у тебя будут свои дети, ты поймешь.

Энни улыбнулась, но голос ее звучал напряженно, и Ной догадался, как тяжело дается ей видимое спокойствие.

— Я тоже видела ту статью и заметила, как ты переменилась. Две недели ходила сама не своя, а потом сказала, что едешь по магазинам. Я сразу догадалась, куда ты отправилась на самом деле.

— А папа?

Миссис Нельсон покачала головой:

— Я никому не сказала, даже ему. И про то, что поехала за тобой, тоже.

За столом наступила тишина.

— Зачем ты приехала? — спросила наконец Элли.

Мать высоко подняла брови:

— Думаю, это я должна у тебя спросить.

Элли побледнела.

— Я не могла не приехать, — продолжала миссис Нельсон. — Видимо, ты можешь сказать о себе то же самое.

Элли молча кивнула.

Ее мать повернулась к Ною:

— Думаю, для тебя последние два дня были полны сюрпризов?

— Да, — просто ответил тот, и мать улыбнулась:

— Может быть, ты не поверишь, Ной, но ты мне всегда нравился. Просто я считала, что вы с Элли не подходите друг другу, понимаешь?

Ной покачал головой и ответил довольно резко:

— Нет, не понимаю. Это просто нечестно по отношению ко мне. Да и к Элли тоже, иначе она бы не приехала.

Миссис Нельсон молча смотрела на него. Элли вмешалась, почувствовав, что назревает ссора:

— Почему ты сказала, что не могла не приехать? В конце концов, я уже взрослая и сама могу разобраться...

Энни повернулась к дочери.

— Дело не в этом. Дело в Лоне. Он звонил мне вчера вечером, расспрашивал про Ноя. Сейчас он направляется сюда и, судя по всему, очень нервничает. Я решила, что стоит предупредить тебя.

Элли чуть не задохнулась.

— Лон едет сюда?

— Во всяком случае, он так сказал. Даже отложил заседание до понедельника. Скоро будет в Нью-Берне, если уже не приехал.

— Что ты ему сказала?

— Почти ничего. Он сам догадался. Вспомнил, как я говорила о Ное много лет назад.

Элли с трудом сглотнула.

— Ты сказала ему, что я здесь?

— Нет. И не скажу. Это ваше с ним дело. Но, зная Лона, я уверена, что он найдет тебя, если ты останешься. Достаточно пары телефонных звонков. Я ведь нашла.

Несмотря на явный испуг, Элли нашла в себе силы улыбнуться матери.

— Спасибо, — сказала она.

Энни взяла дочь за руку:

— Знаешь, Элли, мы с тобой очень разные и по-разному смотрим на многие вещи. Я не идеал, но старалась растить тебя, как могла. Я твоя мать и останусь ею, что бы ни случилось. И всегда буду тебя любить.

Элли помолчала. Потом спросила:

— Что же мне делать?

— Не знаю, Элли. Тебе решать. Я бы на твоем месте хорошенько подумала. О том, чего ты хочешь на самом деле.

Глаза Элли налились слезами, она отвернулась.

— Я не знаю... — Элли совсем сникла, и мать ободряюще погладила ее руку.

Потом миссис Нельсон посмотрела на Ноя, который сидел, опустив голову, и внимательно слушал все, что говорилось за столом. Правильно истолковав ее взгляд, Ной встал и вышел из комнаты. Женщины остались вдвоем.

— Ты на самом деле так его любишь? — прошептала старшая.

— Да, — тихо ответила младшая. — Очень.

— А Лона?

— И его тоже. Только совсем по-другому. Не так, как Ноя.

Николас Спаркс

— Так, как Ноя, ты не полюбишь никого, — сказала мать, отпуская руку дочери. — Я не могу решить за тебя, Элли. Это твой выбор. Повторю только, что люблю тебя и буду любить, несмотря ни на что. Вот и все.

Энни вынула из кармана перетянутую резинкой стопку писем в пожелтевших конвертах.

— Вот письма Ноя. Я не выбрасывала их и не вскрывала. Теперь вижу, что не должна была прятать их, прости. Понимаешь, мне казалось, я защищаю тебя...

Элли потрясенно взяла письма.

— Мне пора идти, а ты должна принять решение, времени у тебя немного. Может быть, мне остаться в городе?

Элли покачала головой:

— Нет, спасибо, я сама справлюсь.

Энни кивнула и некоторое время пристально смотрела на дочь. Потом поднялась из-за стола и поцеловала ее в щеку. В глазах Элли она заметила смятение.

— Что же ты будешь делать? — спросила мать.

— Не знаю, — после долгого молчания ответила дочь.

Они постояли, обнявшись.

— Спасибо, что приехала, — прошептала Элли. — Я тебя люблю.

— И я тебя тоже.

Когда Элли провожала мать до машины, ей послышалось, что та шепнула: «Слушай свое сердце». А может быть, просто показалось?

На распутье

Ной проводил миссис Нельсон до двери.

— До свидания, Ной, — тихо проронила она.

Он молча кивнул. Добавить к уже сказанному было нечего, и оба это знали. Энни повернулась и вышла, закрыв за собой дверь. Ной видел, как она села в машину и уехала, даже не обернувшись. Сильная женщина, сразу ясно, в кого пошла Элли.

Ной заглянул в гостиную, увидел, что Элли сидит, уронив голову на руки. Он ушел на веранду, понимая, что ей необходимо побыть одной. Уселся в кресло-качалку и уставился на бегущие волны.

Ему показалось, что прошла целая вечность, прежде чем он услышал, как хлопнула дверь. Ной не повернулся к Элли, почему-то не смог.

Он услышал, как она подходит и садится в соседнее кресло.

— Извини, — сказала Элли. — Представить не могла, что так случится.

Ной пожал плечами:

— Тебе не за что извиняться. Я-то чувствовал — что-нибудь да стрясется.

— Все равно неприятно.

— Конечно. — Ной осмелился повернуться и взять Элли за руку. — Чем тебе помочь?

Элли грустно покачала головой:

— Ничем. Никак не могу решить, что я скажу Лону. — Она не поднимала глаз и говорила тихо, будто сама с собой. — Думаю, это будет зависеть от того, насколько много он знает. Если мама права, он полон подозрений, но ни в чем не уверен.

У Ноя замерло сердце. Он постарался говорить спокойно, однако Элли почувствовала в его голосе тревогу.

— Ты собираешься рассказать ему о нас?

— Не знаю. Правда, не знаю. Сидя в гостиной, я спрашивала себя, чего на самом деле хочу в жизни. — Она погладила руку Ноя. — И знаешь, что я поняла? Поняла, что хочу тебя. Хочу быть с тобой. Я люблю тебя и всегда любила. — Элли глубоко вздохнула. — А с другой стороны, я хочу счастливой развязки, такой, чтобы никого не ранить. Если я останусь здесь, пострадают мои близкие. Особенно Лон. Я не обманываю, когда говорю, что люблю вас обоих. Он не в силах подарить мне такого счастья, как ты, но Лон любит меня как умеет, я не хочу причинять ему боль. Да и родители, друзья... Мне придется бросить всех. Не знаю, смогу ли я...

— Нельзя прожить свою жизнь для других. Надо выбрать то, что нужно именно тебе, даже если это не понравится близким.

— Знаю. Только что бы я ни выбрала — мне с этим жить дальше. Поэтому надо сделать такой выбор, чтобы потом не жалеть. Чтобы идти вперед и никогда больше не оглядываться. Понимаешь?

Ной отрицательно помотал головой и ответил, стараясь, чтобы голос не дрожал:

— Нет. Нет, если это означает, что я потеряю тебя. Второй раз я этого просто не переживу.

Элли молчала, не поднимая глаз.

Ной продолжал:

— Ты на самом деле сможешь бросить меня и не оглянуться?

Элли прикусила губу, чтобы не расплакаться. Потом хрипловато произнесла:

— Не знаю. Наверное, нет.

— И это будет честно по отношению к Лону? Если ты все время будешь думать обо мне?

Элли не ответила. Она встала, подошла к перилам веранды и прислонилась к одному из столбиков, скрестив руки на груди и глядя на воду.

— Нечестно, — наконец шепнула она.

— Все не так, как в прошлый раз, Элли. Мы теперь взрослые и имеем право выбирать. Мы должны быть вместе, это судьба.

Ной подошел к Элли и положил руку ей на плечо.

— Я не хочу прожить остаток жизни, тоскуя по тебе и представляя, что могло бы случиться, если... Останься со мной, Элли.

Ее глаза были полны слез.

— Я не знаю... У меня не получится... — прошептала она.

— Получится, Элли. Как я смогу жить, зная, что ты с кем-то еще? Ты же часть меня! Наша любовь — это чудо, редкость, драгоценность. Нельзя просто отбросить ее и забыть!

Элли молчала. Ной ласково повернул ее к себе, взял за руки, посмотрел прямо в лицо, ожидая, что она ответит ему хотя бы взглядом. Наконец Элли подняла на него мокрые глаза.

Николас Спаркс

Ной пальцами вытер слезы с ее щек, уже догадываясь, что́ она решила.

— Ты не останешься, — с грустной улыбкой сказал он за нее. — Ты хочешь, но не можешь.

— Ной, — снова заплакав, попросила Элли, — постарайся понять...

Он покачал головой.

— Я догадался, что ты решила. По глазам. Впрочем, не проси меня понять, я не желаю этого делать, Элли. Я не хочу, чтобы все так кончилось. Я вообще не хочу, чтобы это кончалось. Только раз уж ты уезжаешь, мы оба знаем, что расстаемся навсегда.

Элли кинулась в его объятия и зарыдала. Ной и сам из последних сил сдерживал слезы. Ласково обняв Элли, он сказал:

— Я не могу заставить тебя остаться, и все же, что бы ни случилось, я никогда не забуду эти два дня. Они со мной навсегда.

Ной нежно поцеловал любимую, и они постояли, обнявшись, как тогда, два дня назад, когда Элли вышла из машины ему навстречу. Наконец она отступила на шаг, вытирая слезы.

— Мне надо собраться.

Элли вошла в дом. Ной остался на веранде и, сгорбившись в кресле, слушал, как она ходит по комнатам, разыскивая вещи. Через минуту она появилась с сумкой в руках и, опустив голову, подошла к Ною. Протянула ему вчерашний рисунок. Ной молча взял его.

— Я для тебя рисовала.

Он аккуратно развернул скрученный трубочкой лист.

...Два изображения наплывали одно на другое. На переднем плане — он сам. Нынешний, такой, каким Элли увидела его позавчера, а не четырнадцать лет назад. Элли прорисовала каждую черточку, даже шрам на щеке. Словно с недавней фотографии срисовывала.

А на заднем плане — дом. И опять так четко переданы все детали, словно Элли сидела вот тут, под большим дубом, и рисовала с натуры.

— Просто замечательно, Элли. Спасибо. — Ной постарался улыбнуться. — Я же говорил, что ты прирожденная художница.

Элли кивнула, не поднимая головы и даже не пытаясь изобразить ответную улыбку.

— Пора.

Они молча дошли до машины. Остановились. Ной снова обнял Элли и держал, пока не почувствовал, что в глазах закипают слезы. Он поцеловал ее губы, затем одну щеку, другую, кончиками пальцев провел по лицу.

— Я люблю тебя.

— И я тебя люблю.

Ной открыл дверцу автомобиля и в последний раз поцеловал Элли. Она села, не отрывая от него глаз. Положила пачку писем рядом с собой на сиденье, повернула ключ зажигания. Мотор весело заурчал — пора в путь.

Ной обеими руками захлопнул дверцу. Элли опустила стекло и смотрела, смотрела, смотрела, пытаясь запомнить его загорелое лицо, ласковую улыбку, грустные глаза. Она протянула руку, и Ной на секунду задержал ее в своих ладонях.

— Останься, — беззвучно, одними губами, попросил он. Элли просто не могла этого слышать. Слезы полились с новой силой, горло перехватило. Она высвободила руку, отвернулась и нажала педаль газа. Если она не уедет сейчас, то не уедет никогда. Ной отступил на шаг, давая машине проехать.

Он никак не мог поверить в реальность происходящего — стоял и смотрел, как потихоньку двинулся вперед автомобиль, слушал, как хрустит гравий под колесами. Казалось, все происходит во сне. Машина развернулась в сторону города. Уезжает. Элли уезжает. Ной почувствовал дурноту.

Автомобиль приблизился... Проехал мимо...

Элли последний раз махнула рукой, мелькнуло ее грустное лицо. «Не уезжай!» — чуть не крикнул Ной, глядя на набирающую скорость машину. Промолчал. Через минуту только отпечатки протекторов в пыли напоминали о том, что Элли была здесь.

Ной долго стоял на дороге. Стремительно появилась, стремительно исчезла... Навсегда. В этот раз навсегда.

Он закрыл глаза и снова увидел, как уезжает Элли. Вот она машет рукой, вот медленно трогается машина, увозя с собой его сердце...

Элли, как и ее мать, никогда не оборачивалась.

Письмо из прошлого

Слезы на глазах мешали различать дорогу, но Элли упрямо ехала вперед, надеясь, что как-нибудь доберется до отеля. Она опустила стекло, чтобы проветриться и прийти в себя. Это мало помогло. Да что там — совсем не помогло.

Усталость. Страшная усталость, и совсем нет сил на разговор с Лоном. Что же ему сказать? Может, нужные слова сами придут в голову, когда они увидят друг друга?

Хорошо бы.

Доехав до моста, Элли почувствовала себя лучше. Не совсем в форме, конечно, но уже в силах встретиться с женихом. Во всяком случае, ей так казалось.

Дорога была свободна, и Элли не спеша ехала по улицам Нью-Берна, рассматривая прохожих. На заправке механик заглядывает под капот новенького автомобиля, а хозяин машины стоит рядом. Две женщины с колясками идут по улице и оживленно обсуждают выставленные в витринах наряды. Куда-то спешит хорошо одетый мужчина с портфелем в руке.

За поворотом пол-улицы перегородил грузовик, его разгружает молодой парень. Элли что-то в повадке парня напомнило Ноя, когда тот вытаскивал садки с крабами.

Она остановилась на красный свет. В конце улицы показался отель. Загорелся зеленый, Элли глубоко вздохнула и медленно доехала до гостиничной стоянки. Зарулив внутрь, она тут же увидела автомобиль Лона — прямо у ворот. И хотя рядом было свободное место, Элли решила поставить свою машину подальше.

Она повернула ключ, мотор послушно заглох. Вынула из бардачка зеркальце и расческу (и то и другое лежало поверх карты Северной Каролины), посмотрела на себя. Глаза распухшие, красные... Элли снова пожалела, что не захватила никакой косметики, хотя такое вряд ли закрасишь. Она попыталась зачесать волосы на одну сторону, на другую, поняла, что толку никакого, и бросила расческу.

Элли расстегнула сумочку и в который раз вытащила статью, что привела ее сюда. Как много случилось с тех пор! Не верится, что прошло всего три недели и что в Нью-Берн она приехала лишь позавчера. Казалось, что тот первый ужин у Ноя был давным-давно.

В кронах деревьев чирикали птицы. Облака разошлись, в прогалах между ними ярко голубело небо. Солнце скрывала дымка, но Элли знала, что скоро она рассеется и день будет просто замечательный.

Именно такой, какой хочется провести вместе с Ноем... Элли вспомнила про письма, что оставила ей мать, и взяла пожелтевшую пачку.

Стянула резинку и начала распечатывать первое письмо, однако затем остановилась, призадумавшись. Элли почти наверняка догадывалась, что там написано — повседневные новости, какие-то воспоминания лета, может быть, вопросы к ней, к Элли. Ведь тогда Ной еще ждал от нее ответа. Интереснее было бы прочесть последнее письмо, то, что лежало в самом низу стопки. Прощальное письмо. Какие слова выбрал для него Ной?

Конверт очень тонкий. Одна-две странички, не больше. Элли перевернула письмо. Без подписи, только адрес Ноя в Нью-Джерси. Она задержала дыхание и ногтем вскрыла конверт.

Март 1935-го. Два с половиной года он писал ей, не получая ответа.

Элли представила Ноя — как он сидит за ободранным столом, обдумывая письмо и зная, что оно последнее, — и ей показалось, что она видит на бумаге следы слез. Или просто воображение разыгралось?

Элли развернула листок и при свете неяркого утреннего солнца прочла:

Дорогая моя Элли!

Трудно писать тебе, прошлой ночью я совсем не спал — осознал наконец, что между нами все кончено. Это очень странное чувство, никак не могу к нему привыкнуть, хотя, оглядываясь назад, понимаю, что иначе и быть не могло.

Мы слишком далеки друг от друга, принадлежим к разным мирам, и все-таки именно с тобой я узнал, что такое любовь, почувствовал, как это бывает, когда незнакомый человек вдруг становится дороже всех на свете. После нашего знакомства я изменился, стал лучше и всю жизнь буду благодарить тебя за это.

Я не ропщу. Напротив, я твердо знаю, что наша встреча была не напрасной, и я рад, что мы были вместе, пусть и не очень долго. Если когда-нибудь, в следующей жизни, в далеком-далеком будущем, мы встретимся вновь, я улыбнусь тебе и вспомню наше лето. Мы многому научились тогда друг от друга, а главное — научились любить. И может быть, на самый короткий миг ты почувствуешь то же, что и я, и улыбнешься мне, вспомнив все, что мы пережили вдвоем.

Я люблю тебя, Элли!

Ной.

Элли прочла письмо трижды, медленно, не торопясь, потом сложила и убрала в конверт. Снова представила, как Ной писал эти строки, и с трудом поборола желание перечитать их в четвертый раз. Нет, хватит. Пора идти — ее ждет Лон.

Ноги казались ватными. Элли вылезла из машины, немного постояла, сделала глубокий вдох и пошла по направлению к отелю. Она так и не решила, что скажет жениху.

Ответ явился, только когда она потянула на себя входную дверь и увидела Лона, который молча ожидал ее в холле отеля.

Зима на двоих

Вот и конец истории. Я закрываю блокнот, снимаю очки и вытираю глаза. Уставшие и покрасневшие, они пока что меня не подводят. Впрочем, скоро и они сдадут, я знаю. Что ж, все мы не вечны. Я поворачиваюсь к хозяйке комнаты, а она смотрит в другую сторону. Там, за окном, гуляют с пациентами посетители — друзья или родственники.

Я тоже смотрю во двор. За те годы, что я провел здесь, картина за окном ни разу не менялась. Посетители начинают съезжаться после завтрака. Взрослые дети, одни или с семьями, посещают своих стариков. Привозят подарки, фотографии, сидят на скамеечках или гуляют по дорожкам парка, олицетворяющего тут природу.

Кто-то гостит весь день, но большинство отбывает через пару часов, и мне всегда жалко тех, кого они здесь оставляют. Иногда я пытаюсь угадать, что чувствуют мои друзья, провожая родных. С расспросами, однако же, не лезу. У всех есть свои секреты.

Сейчас я расскажу вам один из моих.

Я кладу блокнот и лупу на стол, кости тут же отзываются на движение болью. Я так и не согрелся, несмотря на то что сижу на ярком солнышке. Неудивительно — последние годы мое тело живет по собственным правилам.

Но мне везет. Люди, которые здесь работают, хорошо знают мои болячки и всегда помогают, как могут. Оставляют мне на прикроватном столике горячий чай. Я берусь за чайник обеими руками. Тяжело самому наливать его в кружку, и все же я справляюсь, потому что необходимо согреться, и, кроме того, надеюсь, что движения, пусть и самые простые, не дадут мне окончательно раскиснуть. Потому что, чего уж скрывать, я превращаюсь в самую настоящую развалину. Ржавею, как брошенная в болоте старая машина.

Сегодня, как и каждое утро, я читал ей, потому что так надо. Нет, не из чувства долга — хотя многие именно так и считают, — у меня есть для этих чтений другая, более романтическая причина. Возможно, стоило бы открыть ее вам прямо сейчас... Нет, пока еще рано об этом говорить, подождем хотя бы до обеда. Посмотрим, как все пойдет сегодня, есть у меня надежда, что...

Мы проводим вдвоем каждый день. День, не ночь. Врачи запрещают нам ночевать вместе, объясняют причины. Я соглашаюсь с ними и все равно время от времени нарушаю правила. Встаю посреди ночи, иду в ее комнату и смотрю, как она спит. Никто об этом и не догадывается. Я просто стою и смотрю, как она дышит, и думаю, что, если бы не встретил ее, вообще никогда не женился бы. А глядя на лицо, которое знаю лучше, чем свое собственное, чувствую, что и я очень много значил для нее. Даже объяснить не могу, как мне это важно.

Иногда я думаю о том, насколько мне повезло, что я женат на этой женщине уже почти сорок девять лет. В будущем месяце исполнится точно сорок девять. Сорок пять лет она слушала мой храп, а потом нам запретили спать вместе. А я плохо сплю один. Кручусь, верчусь, замерзаю и бо́льшую часть ночи лежу, уставясь в потолок, по которому несутся тени, будто перекати-поле в пустыне. Хорошо, если пару часов вздремнуть удается, да и то просыпаюсь еще до рассвета. И не знаю, чем занять время.

Скоро все кончится. Она этого не знает. Знаю я. Записи в моем дневнике становятся все короче. И проще — мои дни похожи друг на друга, как близнецы. Правда, сегодня я собираюсь переписать поэму, которую нашла для меня одна медсестра. Поэтому вечер будет приятным. Начинается поэма так:

> Любовь наповал меня сразила
> И, не спросясь, в душе расцвела.
> Подобно розе личико милой,
> Она мое сердце себе взяла*.

По вечерам я свободен, и соседи часто просят меня зайти. Я захожу и читаю вслух — говорят, нравится. Каждый вечер иду по коридору и выбираю, к кому отправиться сегодня. У меня нет никакого расписания, обычно я чувствую, кому нужен именно сейчас. Все соседи — мои друзья. Я толкаю дверь чьей-нибудь комнаты, она ничем не отличается от моей, та же мебель — у всех одинаковая, так же освещена мерцающим экраном телевизора, с каким-нибудь очередным сериалом или ток-шоу,

_____
* Джон Клэр. Первая любовь.

так же орет звук — большинство из нас почти ничего не слышит.

Мужчины и женщины, они улыбаются мне и шепотом говорят, приглушив телевизор: «Хорошо, что вы пришли». Расспрашивают о жене. Иногда я отвечаю. Вспоминаю о ее доброте и нежности, о том, как она научила меня замечать красоту этого мира. О том, как мы только поженились и для нас не было большего счастья, чем держать друг друга в объятиях под звездным небом. Или о том, как мы путешествовали вдвоем, о ее выставках в Нью-Йорке и Париже, о восторженных отзывах критиков на разных языках. Чаще же всего я просто улыбаюсь и говорю, что моя жена совсем не изменилась. Они отворачиваются, чтобы я не видел их лиц, и с тоской вспоминают о собственной старости. Я сажусь рядом и начинаю читать, дабы прогнать их страхи:

Не волнуйся, не стесняйся со мною...
Покуда солнце не отвергнет тебя,
        я не отвергну тебя.
Покуда воды не откажутся блестеть
            для тебя и листья
шелестеть для тебя, слова мои не откажутся
        блестеть и шелестеть для тебя*.

---

* Уолт Уитмен. Уличной проститутке. Перевод К. Чуковского.

И еще вот это, чтобы они поняли, кто я такой:

> Я мысленно брожу всю ночь
> Поступью легкой, бесшумно и быстро
> ступая и останавливаясь,
> Зорко склоняясь над смеженными веками
> спящих,
> Блуждающих и заблудших, неведомых мне,
> несхожих, противоречивых,
> Выжидая и всматриваясь, наклоняясь
> и останавливаясь*.

Если бы жена могла составить мне компанию, она бы по вечерам непременно ходила со мной, потому что тоже любит стихи. Томас, Уитмен, Элиот, Шекспир, псалмы Давида. Короли поэзии, творцы языка. Оглядываясь назад, я иногда удивляюсь своему странному увлечению. Бывает, жалею, что не выбрал другое, — поэзия приносит в мир не только красоту, но и печаль, я понял это теперь, в старости, и не уверен, что рад такому подарку. Человек должен проводить последние дни под солнцем, а не под настольной лампой, как я.

Я подхожу поближе к ней и сажусь в кресло у кровати. Спина болит. Ведь сто раз уже

---

* Уолт Уитмен. Спящие. Перевод О. Чухонцева.

думал, что надо попросить новую подушку для кресла. Беру жену за руку, высохшую и хрупкую. Все равно приятно. Она отвечает мне слабым пожатием и даже гладит пальцами мою ладонь. Я давно понял, что нельзя говорить с ней, пока она это не сделает. Обычно я сижу молча до заката солнца, в такие дни я не знаю о ней ничего.

Минуты идут, и вот наконец она поворачивается ко мне. Плачет. Я улыбаюсь, отпускаю ее руку и лезу в карман. Достаю платок и вытираю ей слезы. Она смотрит на меня. Дорого бы я дал, чтобы узнать, что она при этом думает.

— Какая трогательная история!

За окном моросит дождь. Капли тихо постукивают по подоконнику. Я снова беру жену за руку и не сдерживаю улыбки. Похоже, день будет хорошим, просто прекрасным. Волшебным.

— Очень трогательная.

— Вы сами ее написали? — спрашивает она голосом тихим, как шелест ветра в листве.

— Да, — отвечаю я.

Она поворачивается к тумбочке. Там таблетки в бумажных стаканчиках. Ее и мои. Маленькие шарики всех цветов радуги — чтобы

Николас Спаркс

мы не забывали их принимать. Медсестры ставят мои лекарства сюда, в эту комнату, хотя по правилам не должны так делать.

— Я слышала эту историю раньше, правда?

— Конечно, — снова отвечаю я, как всегда в подобные дни. Я привык быть терпеливым.

Женщина в постели внимательно изучает мое лицо. Глаза у нее цвета морской волны.

— После вашего чтения мне не так страшно.

— Знаю, — киваю я.

Она вновь отворачивается, я не тороплю ее. Отпускает мою руку и берет стакан воды с тумбочки. Делает глоток.

— А это правда? — Она чуть приподнимается в кровати, чтобы допить воду. У нее еще есть на это силы. — Вы знали этих людей?

— Да.

Я мог бы сказать больше, но не спешу. Она по-прежнему так красива!

— И все-таки... за кого Элли вышла замуж?

— За того, кого выбрала.

— Так за кого же?

Я улыбаюсь.

— Вы поймете, — обещаю я. — К концу дня вы все поймете.

Она не знает, что и думать, и тем не менее допытываться перестает. Суетится, беспокоится, прикидывает, о чем бы еще меня спросить. Берет стаканчик с таблетками:

— Это мое?

— Нет, ваше здесь.

Я придвигаю ей другой стаканчик. Даже подать не могу — пальцы не сгибаются. Она берет таблетки и смотрит внутрь, явно не понимая, что с ними делать. Я беру свой стакан двумя руками и высыпаю лекарства в рот. Жена повторяет за мной. Сегодня обошлось без споров. Прекрасно. В шутливом тосте я поднимаю чашку и делаю глоток чая, запивая таблетки. Чай уже остыл. Жена запивает свои пилюли водой.

За окном поют птицы, мы оба поворачиваем головы и молча слушаем, наслаждаясь близостью к природе. Внезапно очарование пропадает, грустная женщина делает глубокий вдох и говорит:

— Я должна спросить у вас еще кое-что.

— Что угодно. Буду рад ответить.

— Мне трудно об этом говорить...

Она старается не смотреть на меня, отводит глаза. Она всегда так прятала свои чувства. Кое-что не меняется.

— Не торопитесь, — предлагаю я. Потому что знаю, о чем она спросит.

Николас Спаркс

Внезапно она поворачивается ко мне и смотрит прямо в глаза. Пытается улыбнуться, нежно — не как любимому, а как ребенку.

— Не хочу смущать вас, с вами так приятно разговаривать, но...

Я жду. Ее слова не заденут меня. Просто в который раз вырвут кусок моего сердца и оставят на нем уродливый шрам.

— Кто вы?

Мы живем в доме престарелых уже три года. Это жена так решила. Во-первых, потому что отсюда недалеко до нашего дома, а во-вторых, потому что думала, что мне будет легче. Дом мы сдали в аренду, потому что ни я, ни она не могли его продать. Подписали необходимые бумаги и в обмен на ограничение свободы получили место, где нам предстояло жить и умереть.

Конечно, жена была права. Один бы я со всем не справился, когда старость и болезни одолели нас обоих. Жизнь кончается, бегут ее последние минуты, и часы тикают все громче. Интересно, я один их слышу?

Пальцы прострелила боль. Я вдруг подумал, что мы уже так давно по-настоящему не держались за руки. С тех пор как переехали сюда.

Грустно, тем более что все это из-за меня — тяжелая форма ревматоидного артрита. Руки стали уродливыми, бесформенными и беспрерывно дрожат. Иногда мне хочется, чтобы их вообще не было, но тогда я не смогу делать даже тех простых движений, что пока еще доступны. Приходится мириться со своими клешнями, как я их называю, и каждый день, превозмогая боль, брать жену за руки. Потому что я уверен — ей это необходимо.

Хоть в Библии и сказано, что человек может жить до ста двадцати лет, мне это не нужно, а если и захочется, тело этого не выдержит. Оно рассыпается, гибнет, болезнь подтачивает меня изнутри и снаружи. Руки не работают, почки отказывают, сердце бьется медленнее день ото дня. А самое страшное — рак. Рак простаты. Это моя третья встреча с незримым врагом, и на этот раз он меня прикончит, хотя и не раньше того момента, как я скажу: «Пора». Доктора беспокоятся обо мне, а я нет. У меня не осталось времени беспокоиться.

Из пятерых наших детей четверо живы. Им трудно навещать нас, но они все-таки приезжают, и я им очень благодарен. А когда их здесь нет, они все равно у меня перед глазами — все четверо, вся наша семья, их улыбки и слезы. На стене моей комнаты десяток фотографий. Мой дар этому миру. Я горжусь своими детьми. Интересно, а моя жена видит их во сне? И видит ли она вообще сны? Теперь я многого о ней не знаю.

А что бы подумал о моей жизни отец? Что бы он делал на моем месте? Отец умер пятьдесят лет назад и давно превратился в смутное воспоминание. Я даже не могу толком вспомнить его — вместо лица темное пятно, как у человека, который стоит против яркого света. То ли старческая память подводит, то ли просто слишком много времени прошло. Правда, у меня сохранилась его фотография, да, к сожалению, она выцвела. Лет через десять фото исчезнет вместе со мной, и память об отце растает, как следы на песке. Если бы не мои дневники, я был бы готов поклясться, что прожил не больше половины моей реальной жизни. Огромные куски биографии просто испарились из памяти. Иногда, перелистывая страницы дневников, я гадаю, куда делся человек, который их написал, потому что совершенно не помню тех событий. Удивительно, куда они все исчезли?

* * *

— Меня зовут Дюк, — говорю я (мне всегда нравился Джон Уэйн*).

— Дюк, — задумчиво, нахмурив лоб, шепчет она. — Дюк...

— Да, — подтверждаю я. — И я к вашим услугам. — «Сейчас и всегда», — добавляю мысленно.

Ее лицо вспыхивает. В глазах набухают слезы. У меня просто сердце разрывается, когда я вижу ее такой... Если б я мог хоть что-нибудь сделать!

— Простите. Совершенно не понимаю, что со мной происходит. Я ничего не помню! Даже вас. Когда слышу ваш голос, мне кажется, мы знакомы, но я не помню... Даже имя свое и то не знаю. — Жена вытирает слезы и просит: — Помогите мне, Дюк. Помогите вспомнить, кто я такая. Или на худой конец кем я была. Мне очень страшно.

Я тянусь к ней всей душой, однако называю ее чужим именем. Так же как минуту назад — себя. У меня есть на это причина.

— Вы — Ханна. Жизнерадостный человек и верная подруга. Вы — мечта и счастье, а так-

---

* Джон Уэйн (1907—1979) — американский актер, известный также под прозвищем Дюк.

же необыкновенный художник, что тронул сердца тысяч и тысяч людей. Вы прожили интересную, полную событий жизнь и ни в чем не нуждались, потому что все необходимое находили в своей душе. Вы добры и верны, умеете находить прекрасное даже там, где другие его не заметят. Вы — учитель красоты, мечтательница и фантазерка. — Я останавливаюсь на секунду, чтобы перевести дыхание. Потом продолжаю: — Ханна, вам нечего бояться, потому что:

На самом деле ничто не потеряно,
              да и как может быть потеряно
Рождение, или душа, или мысль —
         ничто не пропадает в этом мире,
Ни жизнь, ни сила, ни все остальное...
А тело — старое, дряхлое, слабое, —
         всего лишь угли давнего костра,
...когда-нибудь он запылает вновь*.

Она задумывается над моими словами. В наступившей тишине я смотрю в окно и замечаю, что дождь перестал. В окно льется солнечный свет.

— Это вы написали? — спрашивает жена.
— Нет, Уолт Уитмен.
— Кто?

---

* Уолт Уитмен. Продолжения.

— Любитель и умелец облекать мысли в слова.

Она не отвечает. Просто смотрит на меня и молчит, пока наше дыхание не начинает звучать в унисон. Вдох. Выдох. Вдох. Выдох. Вдох. Выдох. Глубокое, спокойное дыхание. Не знаю, чувствует ли она, как я ею любуюсь.

— Вы не могли бы побыть со мной подольше? — спрашивает она наконец.

Я с улыбкой киваю. Жена улыбается в ответ. Ласково берет мою руку и кладет возле себя на одеяло. С жалостью смотрит на узлы, что уродуют мои пальцы, и нежно поглаживает их. У нее-то до сих пор пальцы как у ангела.

— Идемте, — с трудом поднимаясь, говорю я. — Пора на прогулку. Воздух свеж, и птицы нас ждут. Сегодня прекрасный день.

Я смотрю ей прямо в глаза, и она краснеет. Прямо как в юности.

Конечно, она стала знаменитой. Ее называли одной из самых известных художниц Юга, и я всегда ею гордился. В отличие от меня, с трудом слагавшего даже самые простые строчки, моя жена творила красоту легко, естественно, как Господь создал когда-то Землю. Теперь ее работы висят в музеях всего мира, а я оставил себе только две. Самую первую и самую последнюю. Обе висят у меня в комнате, и вечерами я сижу и смотрю на них. И нередко плачу. Сам не знаю почему.

Так и шли годы. Мы жили полной жизнью — работали, творили, растили детей, любили друг друга. Я разглядываю фотографии: Рождество, семейные поездки, праздники, свадьбы. Веселые мордашки внуков. И мы сами — с каждой фотографией волосы все белее, морщины все глубже. Просто жизнь — обычная и необыкновенная.

Мы не предвидели такого будущего. Да и кто вообще может его предвидеть? Сейчас я живу совсем не так, как собирался. А как я собирался? Пенсия. Поездки к внукам. Путешествия. Жена всегда любила путешествовать. Нашел бы себе какое-нибудь хобби... Какое — точно не знаю, например, строил бы модели кораблей. В бутылках. Маленькие, изящные — с моими теперешними руками об этом и думать не стоит. Но я не ропщу.

Нашу жизнь нельзя судить по ее последним годам, в этом я уверен. Жаль, что я не догадывался, чем все закончится. Теперь кажется, что все было ясно с самого начала, а тогда я считал маленькие странности жены вполне объяснимыми и неопасными. Забыла, куда положила ключи... А с кем такого не случается? Не может вспомнить имя соседа? Так ведь не близкого друга. Иногда пишет неверный год на квитанции или чеке? Каждый может ошибиться, особенно если голова занята другим.

И лишь когда дела пошли совсем плохо, я заподозрил неладное. Утюг в холодильнике. Одежда в раковине для посуды. Книги в печке. Каждый день что-нибудь новое. А когда я нашел жену в трех кварталах от дома — она рыдала над проколотым колесом и понятия не имела, как ей вернуться обратно, — я в первый раз по-настоящему испугался. И она тоже. Когда я постучал в стекло машины, жена повернулась и сказала: «Господи, что же со мной творится? Пожалуйста, сделай что-нибудь». У меня все внутри похолодело, но я старался надеяться на лучшее.

Через шесть дней она пошла на прием к врачу, и ей сразу же сделали кучу анализов. Я не понял тогда, что это за анализы, да и сейчас не понимаю. Возможно, потому, что не хочу понимать. Она провела у доктора Барнуэлла почти час, а на следующий день пошла туда снова. Тот день показался мне самым длинным в моей жизни. Я просматривал журналы, не в силах читать, пытался разгадывать кроссворды, смысла которых не понимал. В конце концов врач вызвал нас обоих в кабинет, усадил перед собой. Жена держала меня за руку, и руки у нас дрожали.

— Мне очень жаль сообщать об этом, — начал доктор Барнуэлл, — но, судя по всему, у вас начальная стадия болезни Альцгеймера...

В глазах у меня потемнело, яркой казалась лишь лампа на потолке кабинета. Слова врача эхом отдались в голове: «Начальная стадия болезни Альцгеймера...»

Казалось, привычный мир рушится вокруг. Жена вцепилась в мою руку. «Ной... Ной...» — шептала она почти неслышно, будто самой себе.

Стены кабинета закружились, из глаз полились слезы, и в этом кошмаре остались лишь два слова: болезнь Альцгеймера.

Беспощадная болезнь, иссушающая и неумолимая, как пустыня. Похитительница душ, мыслей, воспоминаний. Я не мог придумать, чем утешить жену, которая всхлипывала у меня на груди. Только обнял ее и тихонько покачивал из стороны в сторону.

Врач тоже молчал. Хороший, добрый человек, он с трудом сообщал пациентам такие новости. Доктор Барнуэлл был младше самого младшего из наших детей, и в его присутствии я особенно остро чувствовал свой возраст. Мысли спутались, душа болела, а в голове крутилось:

Уж коли тонешь, вряд ли разберешься,
Какой по счету каплей захлебнешься...*

Слова мудрого поэта, они не утешили меня. Даже не знаю, почему эти стихи вспомнились именно тогда.

Мы покачивались туда-сюда, и Элли, мечта моя, моя единственная радость, шепотом просила у меня прощения. Я знал, что она ни в чем не виновата, и шептал ей на ухо: «Все будет хорошо», — а в душе у меня царил мрак. Я чувствовал себя пустым и помятым, как старая, брошенная шляпа.

Мозг с трудом улавливал какие-то обрывки из объяснений доктора Барнуэлла.

— Это заболевание, затрагивающее память и рассудок. Лекарство пока не найдено... Невозможно предугадать, каким будет развитие болезни... У всех она протекает по-разному... Я был бы рад сказать вам больше, но... С течением времени состояние будет ухудшаться... Мне жаль, что приходится вас огорчать...

_____

* Чарлз Сидли. Посвящается Глорис.

Николас Спаркс

Мне очень жаль...

Мне очень жаль...

Мне очень жаль...

Всем было очень жаль. Наши дети испугались за мать, друзья — сами за себя. Не помню, как мы вышли из кабинета врача и вернулись домой. И что потом делали, не помню, — здесь мы с женой едины.

С тех пор прошло уже четыре года. Мы попытались как-то устроить нашу жизнь. Элли сама так решила. Сдали дом и переехали сюда. Жена переписала завещание и оставила распоряжения по поводу похорон, они лежат у меня в столе, в ящике, в запечатанном конверте. А когда закончила с делами, засела за письма друзьям и детям. Братьям и сестрам, родным и двоюродным. Племянникам, племянницам и соседям. И мне.

Иногда, когда есть настроение, я перечитываю письмо Элли. И вспоминаю, как сама она зимними вечерами сидела у камина со стаканом вина и читала мои письма. Она все их сохранила, а сейчас письма вернулись ко мне, потому что я обещал жене их не выбрасывать. Она сказала: я сам пойму, что с ними делать. И оказалась права: мне понравилось перечитывать то одно, то другое, как это делала она. Письма подбадривают меня — когда я читаю строчки, написанные собственной рукой, то понимаю, что в любом возрасте можно испытывать и страсть, и нежность. Я смотрю на Элли, и мне кажется, я никогда не любил ее больше. А когда начинаю читать письма, обнаруживаю, что всегда чувствовал то же самое.

Последний раз я перечитывал их три дня назад, глубокой ночью. Около двух часов пополуночи я подошел к столу, открыл ящик и вытащил толстую пачку писем в пожелтевших конвертах. Снял резинку, которой тоже чуть не сто лет исполнилось, нашел конверты, которые спрятала когда-то мать Элли, и те, что я писал потом. В этих письмах — вся моя жизнь, вся моя любовь, все мое сердце. Я с улыбкой перебирал их, вынимая то одно, то другое, и наконец открыл письмо, которое написал в первую годовщину нашей свадьбы.

Прочел фрагмент:

Когда я смотрю на тебя, когда замечаю, как плавно ты движешься, оберегая растущую внутри новую жизнь, я очень хочу, чтобы ты знала, как много значишь для меня, каким необыкновенным стал для меня прошедший год. Нет на Земле человека счастливей меня, я люблю тебя всей душой.

Я откладываю письмо в сторону и вынимаю другое, написанное холодным зимним вечером, тридцать девять лет тому назад.

Сидя рядом с тобой на школьном празднике, где наша младшая дочка распевала рождественские гимны (фальшиво, но от души!), я посматривал на тебя и видел, как ты радуешься за нее всем сердцем. Только очень светлые люди умеют так радоваться. Как же мне повезло, что я встретил тебя!

А когда умер наш сын, тот, что больше всех был похож на маму... Это было самое тяжкое время в нашей жизни, и в строчках письма до сих пор звенит боль...

В дни тоски и печали я обниму тебя и заберу себе все твои горести. Когда плачешь ты, плачу я, когда ты страдаешь, я страдаю вместе с тобой. Вместе мы сумеем остановить потоки слез, побороть отчаяние и продолжить наш путь по бесконечным дорогам жизни.

Я остановился на минуту, вспоминая сына. Ему было всего четыре, совсем малыш. Я прожил уже в двадцать раз больше, чем он, но, будь такая возможность, я с радостью отдал бы ему все свои годы. Ужасно пережить своего ребенка, трагедия, которой я никому не пожелаю.

Я постарался справиться со слезами, пошарил в пачке и вытащил еще одно письмо, повеселее, то, что я писал к двадцатилетию свадьбы.

Милая, когда я вижу тебя ранним утром, сонную и неумытую, или в твоей мастерской — всю в краске, с растрепанными волосами и покрасневшими глазами, я знаю, что женился на прекраснейшей женщине в мире.

Там было еще много писем, свидетелей нашей любви, нашей жизни. Я прочел с десяток, то грустных, то бодрящих. К трем часам я порядком утомился, но вынул еще одно письмо, из самого низа стопки. Последнее письмо. Оно всегда меня поддерживает, когда я падаю духом.

Я открыл конверт и развернул оба листка. Отложив второй лист в сторону, я поднял первый поближе к глазам и начал читать:

Моя дорогая Элли!
Я сижу на веранде, совершенно один, вслушиваюсь в ночные звуки и пытаюсь написать тебе. Не получается. Самому странно, пото-

му что, когда я думаю о тебе и о нашей жиз-
ни, вспоминается очень многое. Целая жизнь
воспоминаний. А вот как облечь их в слова?
Не знаю, выйдет ли у меня. Я не поэт, а ведь
выразить все, что я чувствую, можно, навер-
ное, только стихами.

Мысли разбегаются, я вспоминаю, как сегодня утром варил кофе и разговаривал с детьми. Кейт и Джейн о чем-то шептались в кухне и замолчали, как только я вошел. Я заметил, что обе плакали, молча сел за стол и взял
их за руки. И знаешь, что я увидел, когда
взглянул на наших дочерей? Я увидел тебя,
такую, какой ты была в день нашего проща-
ния — прекрасную, нежную, страдающую от-
того, что нам приходится расстаться. И, по-
винуясь какому-то непонятному чувству,
я решил поведать детям одну историю.

Я позвал в кухню Джеффа и Дэвида и рассказал всем четверым, как много лет назад
ты вернулась ко мне. Вспомнил, как мы гуляли и как я угощал тебя крабами на этой самой
кухне. Дети, улыбаясь, слушали, как мы попали в грозу, как сидели потом у камина, а за
окном бушевала буря. Я рассказал им о том,
как утром твоя мама предупредила нас о приезде Лона, и дети встревожились — прямо как

мы тогда, — и о том, что случилось, когда ты вернулась в город.

Я не забыл тот день, хотя прошло много лет и меня не было рядом с тобой. Ты лишь описала все, когда вернулась. Тогда меня потрясла твоя стойкость. Я даже представить не могу, что ты чувствовала, когда вошла в холл гостиницы и увидела Лона, как ты смогла найти слова, чтобы поговорить с ним. Ты сказала мне, что вы вышли из отеля и уселись на скамейку у старой методистской церкви, что Лон не отпускал твою руку, даже когда ты призналась ему, что решила остаться со мной.

Я знаю, ты страдала тогда. И Лон, наверное, тоже. Скорее всего он никак не мог осознать, что теряет тебя. Даже когда ты объяснила, что всю жизнь любила меня и выйти замуж за Лона было бы просто непорядочно, он не отпустил твоей руки. Знаю, что Лон и мучился, и злился, и сделал все возможное, чтобы переубедить тебя, да только через час ты поднялась и сказала: «Извини, Лон, я не могу к тебе вернуться». Он понял, что не сумеет изменить твое решение. Ты вспоминала, что Лон только кивнул, и вы долго молчали, сидя на скамейке. Я часто пытался предста-

Николас Спаркс

вить, о чем он думал, сидя рядом с тобой, и мне казалось, что он чувствовал себя так же, как я за несколько часов до этого. А когда Лон наконец проводил тебя до машины, он вел себя как джентльмен и лишь попросил передать, что мне повезло. Тогда-то я понял, почему тебе так трудно было выбрать между нами.

Когда я замолчал, в кухне наступила тишина, пока Кэти не вскочила, чтобы обнять меня. «Ах, папа!» — со слезами на глазах воскликнула она. Я собирался ответить на вопросы детей, но они ничего не спрашивали, вместо этого они поделились со мной кое-чем куда более ценным.

Они рассказали, что́ мы, родители, значили в детстве для каждого из них. Один за другим вспоминали давно забытые мной случаи и происшествия. Я не мог сдержать слез, потому что только в тот момент понял, какие хорошие у нас выросли дети. Я гордился ими, гордился тобой и радовался жизни, которую мы прожили. И этого у нас никто и ничто не отнимет. Ничто. Жаль, что тебя в тот момент не было рядом.

Когда дети ушли, я уселся в кресло-качалку и снова начал перебирать страницы нашей

*жизни. Ты всегда со мной в такие минуты,
хотя бы в моем сердце, и я просто не могу
поверить, что когда-то все было иначе. Не
знаю, что стало бы со мной, не вернись ты
в тот день; уверен только, что я бы и жил,
и умер, жалея, что мы не вместе. Спасибо,
что мне не пришлось ни о чем жалеть.*

*Я люблю тебя, Элли. Я стал тем, кто
я есть, только благодаря тебе. Ты — моя единственная надежда, моя мечта, мое спасение,
и что бы ни готовило нам будущее, каждый
день вместе с тобой — лучший в моей жизни.
Я твой, твой навеки.*

А ты навеки останешься моей.

Ной.

Я отложил потертые листки и вспомнил,
как мы с Элли сидели на веранде и она впервые
читала это письмо. Был предзакатный час,
в летнем небе полыхали зарницы, день угасал.
Небо уже слегка потемнело, солнце клонилось
к западу. Я подумал, насколько стремительно
и незаметно день сменяется ночью.

Закат лишь иллюзия, солнце все равно освещает землю, даже если оно скрылось за гори-
зонт. А это значит, что день и ночь связаны
неразрывно, друг без друга они не существуют,

но и встретиться не смогут никогда. Интересно, как это — быть все время вместе и все-таки врозь?

Оглядываясь назад, я понимаю, какую мрачную шутку сыграла с нами жизнь: я задал себе этот вопрос, когда Элли читала мое письмо. Мрачную, потому что теперь-то я знаю, каково это — быть все время вместе и все-таки врозь.

Мы с Элли сидим у реки. Здесь очень красиво сегодня. Это мое любимое место, тут я чувствую, что все еще живу. Река полна птиц — моих давних друзей. Они скользят по воде, отражаясь в ней и расцвечивая ее своим оперением, и кажутся больше, сливаясь с отражениями. Элли завороженно следит за птицами и осторожно, шаг за шагом, знакомится со мной снова.

— Как приятно вновь поговорить с вами, — начинаю я. — Мне этого не хватало, хотя прошло не так много времени.

Я говорю искренне, и Элли верит мне, но настороженность не проходит — все-таки я для нее незнакомец.

— А часто мы разговариваем? — спрашивает она. — И вот так сидим здесь, любуемся птицами? То есть я хочу сказать — мы близко знакомы?

— И да, и нет. У каждого из нас, наверное, есть свои секреты, и тем не менее мы дружим уже долгие годы.

Элли смотрит на свои руки, потом на мои. Задумывается. Солнце освещает ее так, что она вновь кажется юной. Мы не носим обручальные кольца. И это тоже одна из моих задумок.

— А вы были женаты? — спрашивает Элли.

Я киваю.

— На ком же?

Я отвечаю чистую правду:

— На женщине моей мечты. Если бы не она, я никогда не был бы счастлив. Без нее я просто задыхался. Теперь я думаю о ней день и ночь. Даже сейчас, когда сижу тут, на скамейке, я все равно думаю о ней. Другой такой не найти.

Моя спутница вновь замолкает. Задумывается над моими словами. А когда задает следующий вопрос, ее голос звучит нежно, как у ангела. Хотел бы я, чтобы она знала, о чем я думаю.

— Ваша жена умерла?

Знать бы еще, что такое смерть... Этого я, конечно, не говорю. Я отвечаю:

— Она всегда жива — в моем сердце. И всегда будет жить.

— Вы еще любите ее?

— Конечно. И ее, и многое другое. Например, люблю сидеть здесь с вами. Делиться красотой этого места с близким мне человеком. Смотреть, как птицы летят к реке в поисках пищи.

Элли снова молчит. Смотрит в сторону, так что я не вижу ее лица. Давняя привычка.

— А почему вы гуляете со мной?

Никакого страха, одно лишь любопытство. Это хорошо. Я понимаю, что она имеет в виду, и все же переспрашиваю:

— В каком смысле?

— Почему вы тратите на меня время?

Я улыбаюсь:

— Я гуляю с вами, потому что так хочу и так надо. Не переживайте, мне нравится с вами гулять. Сидеть вот так, разговаривать, думать о чем-то своем. Что может быть лучше?

Элли смотрит прямо в глаза, и на какую-то секунду ее взгляд теплеет. На губах появляется подобие улыбки.

— Мне с вами интересно, и если вы хотели меня заинтриговать, вам это удалось. Мы очень мило беседуем, и все же я ничего о вас не знаю. Я не прошу, конечно, поведать историю вашей жизни, но к чему столько тайн?

— Я читал когда-то, что женщины без ума от таинственных незнакомцев.

— Это не ответ. Вы просто ловко уклоняетесь от моих вопросов. Даже не рассказали, чем кончилась история, которую вы читали мне сегодня утром.

Я пожимаю плечами. Потом спрашиваю:

— А это правда?

— Что правда?

— Что женщины любят таинственных незнакомцев?

Элли смеется и отвечает мне в тон:

— Думаю, некоторые — да.

— А вы?

— Мы слишком мало знакомы, чтобы я отвечала на такие вопросы.

Она кокетничает, мне это страшно нравится.

Мы молча сидим на скамейке и смотрим вокруг. Понадобилась целая жизнь, чтобы этому выучиться. Наверное, только старики могут молча сидеть друг подле друга и наслаждаться тишиной. Молодые — горячие и нетерпеливые — непременно ее нарушат. И зря, потому что тишина совершенна. Священна. Она сближает, да только те люди, что подходят друг другу, не скучают в тишине. Такой вот парадокс.

Николас Спаркс

Пролетали минуты, и мы опять, как и утром, задышали в унисон — глубоко, свободно. В какой-то момент Элли даже задремала, как человек, который полностью доверяет своему спутнику. Молодые этого не поймут. А когда она открыла глаза, случилось чудо.

— Видите вон ту птицу? — Элли указала куда-то пальцем, я прищурился и, к своему удивлению, смог разглядеть летящий силуэт. Конечно, только благодаря яркому солнцу.

— Это крачка чеграва, — объяснил я, глядя, как птица парит над Брайсес-Крик, и по старой привычке положил руку на колено Элли. А она ее не убрала.

Элли очень точно заметила насчет моей уклончивости. В такие дни, как сегодня, когда жену подводит только память, я нарочно даю самые расплывчатые ответы, потому что за последние несколько лет неоднократно ранил ее неосторожными словами и не хочу повторять ошибки. Поэтому держу язык за зубами и отвечаю лишь на ее вопросы, да и то не до конца.

Такое решение далось мне с трудом, в нем есть как плюсы, так и минусы, но оно совершенно необходимо, потому что правда приносит Элли боль. Чтобы она не страдала, я ничего не рассказываю. Бывают дни, когда она не помнит не только о том, что у нас есть дети, но и о том, что мы вообще женаты. Это очень тяжело, однако я не вижу другого выхода.

Обманываю ли я Элли? Возможно. Просто я больше не хочу видеть ее подавленной, сломленной тем потоком информации, который я, бывало, обрушивал на нее. А вы смогли бы взглянуть на себя в зеркало и не расплакаться, поняв, что забыли все самое важное, всю свою жизнь? Элли не может, я выяснил это точно, потому что, когда ее «одиссея» началась, я рассказывал ей все. О ее жизни, замужестве, детях. Друзьях и работе. Вопросы — ответы, вопросы — ответы, как в ток-шоу.

Это был какой-то кошмар для нас обоих. Я превратился в ходячую энциклопедию, сборник ответов на бесконечные «что?», «когда?» и «где?», хотя на самом деле важны были лишь «почему?», на которые я не знал и не мог знать ответа и которые одни наполнили бы ее жизнь смыслом. Элли бессмысленно разглядывала фотографии детей, крутила в пальцах карандаши и кисти, понятия не имея, что с ними делать, и читала письма, которые не приносили ей радости. Она слабела час от часу, бледнела и чахла, и день кончался гораздо хуже, чем на-

Николас Спаркс

чинался. Я просто терял и время, и жену. А вслед за ней — себя.

И я решил все изменить. Я стал Магелланом, Колумбом, исследующим невероятные загадки человеческого мозга, и мало-помалу нашел свой путь. Открыл то, что знает каждый ребенок: наша длинная жизнь — лишь совокупность множества маленьких жизней, каждая длиной в один день. И каждый день нужно прожить в любви и красоте, любуясь цветами и птицами, наслаждаясь стихами. День, проведенный в беседах, день, когда ты можешь любоваться закатом и ощущать прохладу ветра, нельзя назвать потерянным. Последнее время я считаю, что жизнь не прошла даром, если мне просто удается посидеть на скамейке с любимой, положив руку ей на колено.

— О чем вы думаете? — спрашивает Элли.

Подступают сумерки. Мы встаем со скамейки и идем бродить по тропинкам, свободно вьющимся вокруг здания, где нам приходится жить. Жена опирается на мою руку, и я сопровождаю ее в прогулке по окрестностям. Это она сама предложила. Видно, я ее очаровал. Или она боится, что один я где-нибудь упаду. В любом случае это приятно.

— Я думаю о вас.

Элли с благодарностью сжимает мою руку. В последнее время по ее поведению я научился угадывать, что она сделает дальше, даже когда Элли сама этого еще не знает. Я продолжаю:

— Знаю, что вы не можете вспомнить, кто вы такая, но я-то помню, и вы мне очень нравитесь.

Элли постукивает пальцами по моей ладони и улыбается.

— Вы очень добрый и милый. Наверное, мне и раньше было так же хорошо с вами, как и сейчас.

Некоторое время мы молча идем по дорожке. Потом она говорит:

— Хочу сказать вам кое-что.

— Говорите.

— Мне кажется, у меня есть поклонник.

— Поклонник?

— Да.

— Понятно.

— Вы мне не верите?

— Верю.

— Неудивительно.

— Почему?

— Потому что мне кажется... это вы.

Я обдумываю ее слова, пока мы в тишине, взявшись за руки, идем через двор и входим в сад. Он весь зарос цветами. Тут я останавливаю Элли и собираю букет — красные, розовые, желтые, синие цветы. Протягиваю жене, она подносит букет к носу. Зажмурившись, вдыхает запах цветов и шепчет:

— Как прекрасно!

Мы идем дальше, в одной руке Элли — моя рука, в другой — букет. Окружающие разглядывают нас, я знаю, что за спиной нас называют удивительной парой. В каком-то смысле они правы, хотя меня это мало радует.

— Так вы считаете меня вашим поклонником? — наконец-то переспрашиваю я.

— Да.

— А почему?

— Потому что я нашла то, что вы подсунули.

— Что именно?

— Вот это. — Она протягивает мне кусочек бумаги. — Лежало у меня под подушкой.

Я читаю вслух:

Тела слабеют день за днем,
Но души вместе до конца.
Мы поцелуем разожжем
Любви огонь у нас в сердцах.

— А еще? — спрашиваю я.

— Вот. В кармане пальто.

> Горит закат, прошла гроза,
> Твое лицо сияет вновь.
> Я загляну тебе в глаза
> И там найду свою любовь.

— Что ж, понятно. — Только это я и говорю.

Солнце садится, а мы все гуляем. Сумерки сгущаются. Мы беседуем о поэзии, и я в который раз очаровываю Элли, декламируя стихи.

Наконец мы возвращаемся. Я устал, и Элли это чувствует. На пороге мы останавливаемся, и она долго, пристально смотрит мне в глаза. Я отвечаю ей тем же и в который раз удивляюсь, как я постарел и сгорбился, — теперь мы с женой одного роста. Иногда мне даже нравится, что она не понимает, как я изменился.

— Что вы делаете? — спрашиваю я.

— Не хочу забыть вас и этот день. Пытаюсь сохранить в памяти ваше лицо.

Удастся ли ей? Конечно, нет. Но я не говорю об этом. Просто улыбаюсь в ответ:

— Спасибо.

— Я правда не хочу вас забыть. Вы не такой, как все. Не знаю, что бы я сегодня без вас делала.

Николас Спаркс

У меня сжимается горло. В ее голосе звучит нежность, та нежность, ради которой я живу. Как бы я хотел снова стать сильным и подхватить ее на руки!

— Не говорите ничего, — предостерегает меня Элли. — Давайте просто запомним этот миг.

Я подчиняюсь с огромным удовольствием.

Болезнь прогрессирует, сейчас Элли чувствует себя гораздо хуже, чем вначале, и все-таки отличается от других больных. Здесь таких еще трое, и я пытаюсь наблюдать за ними. У всех более тяжелая стадия болезни Альцгеймера, они вообще ничего не помнят, даже соображают с трудом. До бесконечности повторяют одни и те же слова, действия. Двое уже и поесть-то самостоятельно не могут, видимо, скоро умрут. А третья все время уходит и теряется. Однажды ее нашли в чужой машине довольно далеко отсюда. С тех пор бедняжку привязывают к кровати. Иногда они злятся, а иногда плачут, как беспомощные дети. Почти не узнают ни медперсонал, ни своих родных. Страшная это болезнь: и их, и наши с Элли дети всегда уезжают отсюда с тяжелым сердцем.

У Элли свои проблемы, которые, боюсь, обострятся с течением времени. Она страшно напугана по утрам, плачет, никак не может успокоиться. Видит каких-то маленьких человечков вроде гномов, пытается выставить их из комнаты, чтобы не подсматривали. Кричит на них, гонит прочь. С удовольствием моется, а вот ест плохо. Очень похудела, и я пытаюсь ее откормить, когда выпадают удачные дни вроде сегодняшнего.

На этом ее сходство с остальными заканчивается. Окружающие считают чудом то, что иногда, пусть и очень-очень редко, когда я читаю ей с утра, ее состояние улучшается. Объяснений этому нет. Врачи говорят: «Такого просто не бывает. Наверное, это не болезнь Альцгеймера». Нет, к несчастью, именно она. Большую часть времени, особенно по утрам, в этом нет никаких сомнений. Все признаки налицо.

С другой стороны, откуда тогда улучшения? Почему Элли меняется после моих чтений? Я говорил врачам, что дело не в науке, а в душе. Они не хотят верить. Уже четыре раза к нам приезжали специалисты из находящегося неподалеку Чапел-Хилла. Уже четыре раза они возвращались ни с чем. «Ни одна книга, ни один учебник не объяснят вам, что происходит с Элли», — пытаюсь втолковать я, но они лишь твердят: «Болезнь Альцгеймера не излечима.

Пациент не может даже поддерживать разговор, не то что чувствовать улучшение, тем более в течение одного дня. Так не бывает».

А у нас бывает. Не каждый день, довольно-таки редко, и, к сожалению, чем дальше, тем реже. Но бывает же! В такие дни у Элли не работает только память, вроде как при амнезии. А чувства и мысли — все как у здорового человека. И тогда я понимаю, что все делаю правильно.

К моменту нашего возвращения в комнате Элли сервирован ужин. В такие дни, как сегодня, врачи разрешают нам есть прямо тут, а мне только это и надо. Здесь работают очень хорошие люди, я не устаю их благодарить.

Приглушенный свет, две свечи на столе и негромкая музыка. Стаканы и тарелки, правда, пластиковые, а в графине яблочный сок. Ну, правила есть правила, да Элли и не замечает. Широко раскрытыми глазами она оглядывает стол:

— Это вы все устроили?

Я киваю и пропускаю ее внутрь.

— Просто замечательно!

Я предлагаю жене руку и провожаю в комнату. Она не пытается освободиться, ей это даже нравится. Как приятно стоять вместе у открытого окна, любоваться чудесным весенним вечером, чувствовать на лице дуновение легкого ветерка. На небо выкатывается луна, мы молча наблюдаем, как все кругом озаряется ее серебристым светом.

— Никогда не видела такой красоты, — говорит Элли.

— Я тоже, — соглашаюсь я, глядя, впрочем, не в окно, а на жену. Она понимает, что я имею в виду, улыбается и шепчет:

— По-моему, я знаю, с кем осталась Элли.

— Знаете?

— Да.

— С кем?

— С Ноем.

— Точно?

— Уверена.

Я смеюсь и киваю.

— Так и было, — подтверждаю я, и Элли заливается счастливым смехом.

Я с трудом отодвигаю для нее стул. Она садится, я — напротив. Элли протягивает мне руку, я беру ее и чувствую, как один палец поглаживает мою ладонь, совсем как раньше. Я молча смотрю на жену и вспоминаю нашу жизнь, день за днем, и эти дни становятся ярче и ближе, словно и не исчезали никуда. Даже горло сжимается, и я в который раз думаю о том, как люблю свою Элли.

— Какая же ты красивая — говорю я слегка дрожащим голосом, и Элли одними глазами отвечает мне: «Я понимаю тебя, я знаю, что ты чувствуешь». Потом опускает взгляд и долго молчит, а я гадаю, о чем она думает. Даже не гадаю, а молча жду, поглаживая ее руку. Жду с нетерпением, когда ее сердце проснется, когда оно вспомнит меня.

И чудо происходит!

На столе горят свечи, в комнате тихо звучит мелодия — запись оркестра Гленна Миллера, и я ощущаю, как в Элли просыпается что-то, чему нет названия. На губах ее играет легкая улыбка — та улыбка, за которую я отдам все на свете. Она поднимает на меня сияющие глаза и крепче сжимает мою руку.

— Ты необыкновенный... — ласково шепчет Элли, она снова влюблена в меня, как когда-то; я уверен в этом, ведь я видел подобное уже много раз.

Элли вновь замолкает, нам не надо больше говорить, мы просто смотрим друг на друга, совсем как в юности, и я чувствую, как жизнь возвращается ко мне. Я улыбаюсь Элли так, чтобы она поняла: я люблю ее, наши чувства снова бушуют, подобно морским волнам. Я оглядываю комнату — стены, потолок, — потом снова перевожу взгляд на жену, и у меня теплеет на душе. Я опять чувствую себя молодым. Не старой развалиной — больной, дрожащей, изуродованной артритом и почти слепой, а молодым и крепким мужчиной, любимым и любящим, и чувство это сохранится во мне на весь вечер.

Свечи сгорели уже на треть, и я решаюсь нарушить тишину:

— Я так люблю тебя. Ты ведь знаешь, правда?

— Конечно, знаю, — шепчет в ответ Элли. — И я люблю тебя, Ной.

«Ной!» — эхом отдается у меня в голове. Ной... Она узнала меня! Она понимает, кто я! Ной...

Она вспомнила...

Такая мелочь, всего лишь имя, но для меня это дар Божий, я знаю, что жизнь еще не кончилась, я чувствую, как мы любим друг друга. Имя — это ключ к лучшим годам нашей жизни, когда мы были по-настоящему вместе и никто не мог нам помешать.

— Ной... Мой милый Ной... — шепчет Элли.

Николас Спаркс

И я, не поверивший прогнозам врачей, вновь торжествую, пусть и на краткий миг. Отбрасывая нарочитую таинственность, целую пальцы Элли, прижимаю к щеке ее ладонь и шепчу ей на ухо:

— Ты — мое счастье.

— Ах, Ной! — со слезами на глазах отвечает она. — Как же я тебя люблю!

Если бы так продолжалось до самой ночи, я был бы счастливейшим человеком на свете.

К несчастью, это невозможно. Я уверен, потому что с каждой минутой взгляд Элли становится все озабоченнее.

— Ну, что случилось? — ласково спрашиваю я.

— Я боюсь, — тихо отвечает она. — Я так боюсь забыть тебя еще раз. Это нечестно... Я просто не переживу этого снова...

Ее голос срывается, а я не знаю, чем ей помочь. Вечер кончается, и болезнь неминуемо возьмет верх. Здесь я бессилен. Наконец я говорю:

— Я тебя никогда не оставлю. Моя любовь всегда с тобой.

Элли понимает: это все, что я могу сейчас сказать. Ни она, ни я не любим пустых обещаний. Но, глядя на жену, я понимаю, что ей очень хотелось бы услышать что-нибудь более ободряющее.

Сверчки запевают свою песенку, а мы приступаем к ужину. Я не голоден, хотя стараюсь есть с аппетитом, чтобы подать Элли пример. Она послушно подражает мне. Правда, откусывает совсем понемножку и жует долго-предолго. Однако я рад, что жена хоть чуть-чуть поела. Очень уж она исхудала за последнее время.

После ужина я начинаю нервничать. Конечно, знаю, что должен сохранять спокойствие и дарить Элли радость, потому что наша любовь снова сотворила чудо. Да вот совсем скоро пробьет роковой час, и чудо исчезнет так же внезапно, как и появилось. Солнце село, и тот враг, что крадет у Элли память, сейчас появится, а я ничего не могу сделать, чтобы задержать его. Поэтому я просто смотрю на нее и наслаждаюсь последними минутами, которые мы проведем вместе.

Пока все нормально.

Тикают часы.

Ничего страшного.

Я обнимаю Элли, она приникает ко мне.

Ничего.

Николас Спаркс

Я чувствую, как она дрожит, и шепчу ей на ухо слова ободрения.

Ничего.

В последний раз за этот вечер я признаюсь жене в любви.

И враг приходит.

Я всегда поражаюсь, как быстро это случается. Даже сегодня, когда она так замечательно чувствовала себя целый день. Элли все еще обнимает меня, но начинает быстро моргать и встряхивать головой. Потом поворачивается и пристально смотрит куда-то в угол.

«Нет! — безмолвно кричу я. — Еще немножко, ну пожалуйста! Только не сейчас, когда мы так близко! Когда угодно, лишь бы не сегодня! Пожалуйста! — Слова бьются у меня внутри. — Я больше не могу! Это нечестно!.. Нечестно...»

И в который раз не получаю отсрочки...

— Там человечки, — говорит Элли, вытягивая палец. — Они на меня смотрят. Скажи им, чтобы не смотрели.

Гномы.

В душе будто ад разверзся. Дыхание перехватывает, во рту сухо, сердце стучит как сумасшедшее. Вот оно. Так я и знал. Закат. Вечернее ухудшение, один из признаков болезни Альцгеймера, от которой так страдает моя жена, самый страшный из моих кошмаров. Элли словно проваливается куда-то, и я не знаю, узнает ли она меня хотя бы еще раз.

— Там никого нет, Элли. — Я пытаюсь оттянуть неизбежное. Она мне не верит.

— Человечки. Смотрят.

— Нет, — покачивая головой, убеждаю я.

— Ты их не видишь?

— Нет, — повторяю я.

Элли задумывается и вдруг резко отталкивает меня.

— Они там! Они смотрят!

Она лихорадочно бормочет себе под нос, я пытаюсь снова обнять ее, успокоить, и вдруг жена отшатывается в сторону с безумными глазами.

— Кто вы? — в ужасе, с побледневшим лицом кричит она. — Что вы здесь делаете?

Элли бьется в истерике, а я молча стою рядом и ничего не могу поделать. Она пятится все дальше и дальше, выставив перед собой руки, будто защищаясь. А потом выкрикивает самые страшные для меня слова:

— Вон отсюда! Убирайтесь! — И пытается стряхнуть с себя гномов. Перепуганная, она уже не замечает моего присутствия.

Я встаю и иду через комнату к кровати жены. Ноги дрожат, в боку что-то колет. Раньше такого не было. Невероятно трудно нажать на кнопку вызова — пальцы трясутся, кажется, будто они слиплись в какой-то комок. В конце концов мне удается вызвать медсестер. Скоро они будут здесь. Я жду. И смотрю на свою жену.

Десять...

Двадцать...

Тридцать секунд проходит, а я все смотрю на Элли, не пропуская ни единого движения, и пытаюсь не забыть, как она выглядела только что, когда мы были вдвоем. А она даже не оглядывается, измученная борьбой с невидимым никому, кроме нее, врагом. Жутко.

Я с трудом опускаюсь на кровать, подбираю с пола упавший блокнот и плачу. Элли не замечает — в таком состоянии она ничего не замечает.

Две странички выпадают на пол, я нагибаюсь и поднимаю их. Как я устал! Мне тоскливо и одиноко. Когда входят медсестры, их встречают сразу два измученных пациента — женщина, трясущаяся от страха перед угрозой, что существует лишь в ее воспаленном воображении, и старик, который любит эту женщину больше всего на свете и теперь тихо плачет от бессилия, закрыв лицо руками.

Остаток ночи я провожу у себя в комнате. Дверь приоткрыта, я вижу, как по коридору туда-сюда ходят люди — и знакомые, и незнакомцы. Если прислушаться, можно понять, о чем они говорят — семья, работа, отдых. Ничего особенного, обыденные разговоры, но я понимаю, что завидую им, завидую легкости, с которой они болтают между собой. Зависть — смертный грех, напоминаю я себе. Однако сегодня мне не удается ее побороть.

И доктор Барнуэлл тут, беседует с кем-то из медсестер. Я гадаю, кому же из нас так плохо, что врач до сих пор не ушел. Барнуэлл слишком много работает. Я советовал ему проводить больше времени с семьей. Объяснял, что близкие не будут рядом с ним вечно. Он не слушает. Забота о пациентах, видите ли, долг медика — когда его зовут, он не может не прийти. Говорит, что у него нет выбора, и разрывается на части. Хочет быть идеальным врачом для своих больных и идеальным мужем и отцом для своего семейства. Не выйдет. Времени не хватит. Но он этого еще не понял. Барнуэлл уходит дальше по коридору, голос его становится тише, а я гадаю, что же в конце концов он выберет: семью или работу? Или, к сожалению, дождется, пока родные выберут за него?

Я сижу у окна и мысленно прокручиваю в голове сегодняшний день. Он вышел и счастливым, и душераздирающим, и прекрасным, и горьким. Противоположные чувства борются в моей душе, не дают заснуть. Сегодня я никому не читаю — просто не могу. Боюсь заплакать над книгой. Постепенно коридоры пустеют, соседи разбредаются по комнатам. В одиннадцать слышу знакомые шаги — шаги, которых я, признаться, ожидал.

В дверь заглядывает доктор Барнуэлл:

— Я заметил, что свет горит. Можно к вам?

— Нет, — качаю головой.

Доктор входит в комнату и, прежде чем сесть, оглядывается кругом.

— Слышал, — начинает он, — что у вас с Элли сегодня был удачный день.

Врач улыбается. Он давно следит за необычной болезнью Элли и за нашими с ней отношениями. И по-моему, дело тут не только в профессиональном интересе.

— Вроде да, — соглашаюсь я.

Он кивает и внимательно смотрит на меня:

— Как вы себя чувствуете, Ной? Выглядите неважно.

— Все в порядке. Просто устал.

— А как Элли?

— Совсем неплохо. Мы проговорили почти четыре часа.

— Четыре часа?! Ной... Это же невероятно!

Я молча киваю.

— Никогда не видел ничего подобного! — взволнованно продолжает Барнуэлл. — Даже не слышал о таком! Любовь на самом деле творит чудеса. Вы двое просто созданы друг для друга. Она, наверное, безумно вас любила. Ведь так?

— Так, — соглашаюсь я. Мне трудно говорить.

— И все-таки что с вами, Ной? Вас Элли расстроила? Что-то сделала или сказала?

— Нет, она сегодня молодец. Просто я чувствую себя таким одиноким...

— Одиноким?

— Ну да.

— Никто не может быть одиноким, когда кругом столько людей.

— А я могу. — Смотрю на часы и думаю о семье доктора, которая давно уже спит в объятом тишиной доме. — И вы.

* * *

Несколько дней прошли совершенно бессмысленно. Элли не узнавала меня, а я не делал попыток ее расшевелить, потому что мысли мои постоянно возвращались к проведенному вместе дню. И хотя вечер тогда наступил слишком быстро, он не смог ничего испортить, мое счастье осталось со мной.

Потом жизнь снова вернулась в привычное русло. (Насколько к такому вообще можно привыкнуть.) Я читал Элли, читал соседям, бродил по коридорам. Ночами лежал без сна, а по утрам трясся около обогревателя. Стал находить даже какое-то удовольствие в подобной размеренности.

Холодным туманным утром, через неделю после того памятного дня, я, как обычно, проснулся очень рано и попытался убить время, перебирая фотографии и старые письма. Но головная боль мешала мне сосредоточиться, поэтому я отложил письма и сел на стул у окна, посмотреть, как встает солнце. Элли проснется через пару часов, и к этому времени я должен прийти в себя, чтобы моя слабость не помешала чтению.

Я закрыл глаза и посидел несколько минут, чувствуя, как под черепом пульсирует боль. Потом открыл их и полюбовался своим старым другом — рекой, протекающей прямо перед окном. В отличие от Элли я получил комнату с видом на Брайсес-Крик и ни разу не пожалел об этом. Посмотришь в окно — и настроение улучшается. Просто чудо эта река, ей сотни тысяч лет, а она лишь молодеет и молодеет с каждым новым дождем. Я разговаривал с ней тем утром, шептал:

— Пусть Бог благословит тебя, друг мой, и меня тоже. Вместе мы переживем все, что готовит нам наступающий день.

Волны тихо плескались о берег в знак согласия, бледный свет восходящего солнца отражался от водной глади. Я и река. Текучая, непостоянная, переменчивая. Жизнь и сама подобна бегущей воде. Глядя на реку, человек может понять очень многое.

Беда случилась, когда солнце выкатилось из-за горизонта. Сначала я заметил, что рука у меня подрагивает. Раньше такого не случалось. Я попробовал пошевелить пальцами, и тут на меня, подобно молоту, обрушилась жуткая головная боль. От неожиданности я зажмурился. Рука перестала дрожать и онемела, почти мгновенно, будто где-то выше локтя перерезали нервы. Боль разрослась до невозможности

Николас Спаркс

и хлынула из головы вниз по шее, все ниже и ниже, заполняя каждую клеточку тела, сокрушая все на своем пути, словно цунами.

Я мгновенно ослеп, в ушах загрохотало, будто на меня надвигался поезд. Похоже, меня хватил удар. Корчась от боли, пронзившей мое тело словно раскаленным штырем, перед тем как упасть, я представил Элли, как она лежит в кровати, одинокая и растерянная, и ждет истории, которую я никогда ей не прочитаю. И ничем не может себе помочь.

Как и я.

«Господи, за что?!» — только и успел подумать я. И потерял сознание.

День за днем я то приходил в себя, то вновь проваливался в небытие. В редкие моменты просветления я замечал, что окружен аппаратами, от которых к моему носу и рту тянулись и уходили куда-то в горло гибкие трубки. Возле кровати висели два прозрачных мешка, наполненных непонятной жидкостью. Машины мерно гудели, а время от времени издавали еще какие-то странные звуки. Один агрегат пищал в такт биению моего сердца, это странно убаюкивало меня, и я вновь проваливался в болезненный сон.

Докторам мое состояние не нравилось. Они хмурились, внимательно разглядывали диаграммы, регулировали аппараты. Шептались, думая, что я ничего не соображаю: «Состояние очень тяжелое. Да еще возраст... Прогнозы самые неутешительные». И, хмурясь, выдавали эти самые прогнозы: «Потеря речи, ограничение подвижности, а возможно, и полный паралич». И снова диаграммы, и снова гудят аппараты, а врачи уходят, так и не догадавшись, что я слышал каждое слово. Я старался не думать над их предположениями и вместо этого воскрешал в памяти образ Элли. Я тянулся к ней изо всех сил, пытался почувствовать ее сквозь разделявшее нас расстояние. Вспоминал ее руки, голос, лицо и чувствовал, как глаза наполняются слезами. Я не знал, смогу ли еще хоть раз обнять свою единственную любовь, прошептать ей на ухо слова утешения, провести день в прогулках, разговорах, чтении. Совсем не на такой конец я надеялся, совсем не так представлял наше будущее. Почему-то мне всегда казалось, что я продержусь дольше и не оставлю Элли одну. Так было бы справедливее.

Так я и лежал, то выныривая на свет, то опять погружаясь во тьму, пока очередным туманным утром не проснулся с ощущением, что должен как можно скорее увидеть Элли. Палата была полна цветов, их запах окончательно вернул меня к жизни. Я нащупал кнопку вызова и с трудом нажал на нее. Через полминуты в палате появилась сестра, а за ней улыбающийся Барнуэлл.

— Пить, — скрипуче попросил я, и Барнуэлл разулыбался еще шире.

— С возвращением! — поприветствовал он меня. — Я так и знал, что вы-то обязательно выкарабкаетесь!

Через две недели я вышел из больницы. К сожалению, не без потерь. Если бы я был «кадиллаком», то ездил бы кругами, потому что правая сторона моего тела теперь гораздо слабее левой. Но и это, по словам врачей, хорошие новости, потому что паралич мог разбить меня целиком. Иногда кажется, что я живу в окружении сплошных оптимистов.

К сожалению, из-за артрита, изуродовавшего руки, я не могу использовать ни трость, ни коляску. Поэтому передвигаюсь на свой, особый манер. Не шагаю, как в молодости, и не шаркаю, как в последние годы, а так: шаркну чуть-чуть, потом подамся вправо и опять шаркну... Я теперь живая легенда, никто не может глаз отвести, когда я бреду по коридору. Медленнее некуда. И это вам говорит человек, который и до инсульта не обогнал бы и черепахи!

Из больницы я возвращаюсь поздно вечером и, входя в свою комнату, уже понимаю, что не смогу заснуть. Я глубоко вдыхаю весенний воздух, струящийся из открытого окна. Кто-то распахнул его настежь, и в комнате стоит бодрящая прохлада. Медсестра по имени Эвелин, приятная девушка, раза в три моложе меня, помогает усесться на стул и принимается было закрывать окно, однако я ее останавливаю. Эвелин удивленно вздергивает бровь, но не спорит. Я слышу, как она открывает шкаф, и мгновение спустя мне на плечи ложится свитер. Медсестра поправляет его, заботливо, как на ребенке, потом легонько сжимает мое плечо и, ни слова ни говоря, замирает рядом. Я понимаю, что девушка тоже засмотрелась в окно. Мы согласно молчим, я гадаю, о чем думает Эвелин, хоть и не решаюсь спрашивать. В конце концов медсестра вздыхает и собирается уходить. Она наклоняется ко мне и нежно целует в щеку, прямо как моя внучка. Я удивленно поднимаю голову.

— Хорошо, что вы вернулись, — тихо говорит Эвелин. — Элли скучала, да и нам было как-то не по себе. Мы все молились за ваше здоровье, очень нам вас не хватало.

Она улыбается и, прежде чем уйти, гладит меня по щеке. Я молча провожаю ее взглядом. В коридоре тут же раздается скрип тележки, затем голос Эвелин и еще одной медсестры.

Небо сегодня темно-синее, беззвездное. Громко, заглушая остальные звуки, трещат сверчки. Интересно, видит ли кто-нибудь снаружи меня — сидящего у окна ничтожного пленника собственной плоти? Я осматриваю двор, скамейки, деревья, ищу глазами признаки жизни и не нахожу. Даже река будто остановилась, отсюда она кажется черной и неподвижной; я чувствую, как поддаюсь мрачному волшебству окружающего мира. Час за часом сижу у окна и наблюдаю, как на поверхности воды появляются дрожащие отражения туч — надвигается гроза. Небо становится серым, будто снова вернулись сумерки.

Сверкает молния, рассекая мрачный небосвод. Я погружаюсь в омут собственной памяти. Кто мы — я и Элли? Вековое дерево и обвившийся вокруг него гибкий плющ, ветви и побеги которых сплелись настолько тесно, что нельзя разделить их, не убив заодно сами растения? Не знаю. Новая молния освещает письменный стол рядом со мной и стоящую на нем фотографию Элли. Самую мою любимую. Много лет назад я вставил ее в рамку, надеясь, что стекло навеки сохранит ее красоту. Я беру снимок, подношу его к глазам и долго-долго всматриваюсь в родное лицо. Оторваться не могу. Элли тогда было около сорока, и она никогда не была красивее. Мне так много нужно спросить у нее, но, увы, фотография безмолвна, и я со вздохом ставлю ее на место.

Элли совсем недалеко, на другом конце коридора, и все-таки я одинок. Я всегда буду одинок. Я думал об этом, когда лежал в больнице. И здесь, когда сидел у окна и смотрел, как собираются тучи. Я пытаюсь держать себя в руках и вдруг вспоминаю, что во время нашего последнего «свидания» так и не поцеловал Элли. И может быть, уже никогда не поцелую. При такой болезни, как у нее, ни на что нельзя надеяться.

Что за мысли меня одолевают?

Я делаю над собой усилие, встаю и подхожу к столу. Включаю лампу. Это отнимает больше сил, чем я ожидал, поэтому и не возвращаюсь к окну, а сажусь у стола и рассматриваю стоящие на нем фотографии. Дети, внуки, наши семейные путешествия. Портреты — мои и Элли.

Николас Спаркс

Я вспоминаю, когда были сделаны эти снимки, и вновь чувствую себя каким-то осколком старины.

Открываю один из ящиков и вынимаю букет, который когда-то подарил Элли — сухой и выцветший, перевязанный старенькой ленточкой. Цветы напоминают меня самого — высохшего и ломкого, чуть тронешь — рассыплюсь. А вот Элли их хранила. «Да на что они тебе?» — спрашивал я иногда, а она только отмахивалась. Вечерами я видел, как она держит букет в руках — почти благоговейно, будто он заключает в себе секрет жизни. Ах, женщины!..

Вспоминать так вспоминать. Я шарю в верхнем ящике и вынимаю завернутое в салфетку обручальное кольцо. Не ношу его с тех пор, как суставы распухли и пальцы скрючились. Разворачиваю салфетку. Кольцо все такое же. Круглое, бесконечное — оно и символ, и ключ, и когда я смотрю на него, знаю, точно знаю, что другого кольца у меня просто не могло быть. Я понимал это раньше, понимаю и сейчас.

— Я все еще твой, Элли, счастье мое, моя единственная радость. Ты — лучшее, что случилось со мной в этой жизни, — шепчу я.

Может быть, она слышит меня? Хоть бы какой-нибудь знак... Ничего.

Половина двенадцатого. Я ищу письмо, которое когда-то написала мне Элли: я всегда читаю его, если чувствую, что совсем упал духом. Конверт лежит там, где я оставил его в последний раз, и я кручу его в руках, прежде чем открыть. Руки дрожат. Наконец разворачиваю первую страницу...

Дорогой Ной!

Я пишу тебе при свечах, а ты уже спишь в той самой спальне, которая стала и моей с тех пор, как мы поженились. Отсюда я не слышу твоего дыхания, но знаю, что ты там, и скоро я тоже засну рядом с тобой, как всегда. Улягусь поудобнее, пригреюсь возле и перед сном в который раз порадуюсь тому, какой чудесный человек достался мне в мужья.

Пламя свечи напоминает мне о другом пламени, том, что согрело нас много лет назад. Помнишь, мы сидели у камина, я — в твоей теплой одежде, ты — в джинсах. Уже тогда я поняла, что нам суждено быть вместе, хоть и старалась не думать о завтрашнем дне. Ты пленил мое сердце, поэт, и я ничего не смогла поделать. Как сумела бы я сопротивляться любви, которая ослепила как солнце и нахлынула как цунами? Ведь именно так оно и было. Так оно и сейчас.

Я помню, как вернулась к тебе на следующий день, тот самый день, когда мама приезжала предупредить, что моя тайна раскрыта. Мне было так страшно! Я боялась, что ты никогда не простишь меня за то, что я не осталась с тобой сразу. Дрожа, я вылезла из машины и тут же увидела твою улыбку, которая прогнала все страхи. Ты протянул руку и спросил: «Как насчет кофе?» И больше ни слова о моем отъезде. Ни единого. Никогда.

Ты и потом меня ни о чем не расспрашивал, хотя несколько дней подряд я уходила бродить по окрестностям и нередко возвращалась в слезах. Ты всегда знал: надо ли успокоить меня или просто позволить побыть одной. Не знаю, как ты догадывался, но ты не ошибся ни разу. А несколько дней спустя, когда мы вошли в маленькую церковь, обменялись кольцами и дали друг другу клятвы любви и верности, я посмотрела в твои глаза и поняла, что выбрала именно того, кто был предназначен судьбой. Больше того, я удивилась, как вообще могла думать, что выйду *замуж за кого-то еще. С тех пор я никогда не сомневалась.*

Мы прожили счастливую жизнь. Иногда я закрываю глаза и вижу, как ты сидишь на веранде с гитарой в руках, уже седеющий, но все еще такой красивый, и наигрываешь веселую музыку, а наши малыши толпятся вокруг, подпевая и прихлопывая. Ты устал после работы, твоя одежда измята и испачкана, и я предлагаю тебе пойти отдохнуть, а ты смеешься и отвечаешь: «А я что делаю?» Я обожаю смотреть, как ты возишься с детьми. «Лучшего отца и пожелать невозможно!» — говорю я тебе вечером, когда они уже спят. Мы раздеваемся, ты целуешь меня, и время останавливается, я даже не помню, как мы оказываемся в постели.

Я люблю в тебе все, особенно твою душу, ведь это именно то, что так важно в жизни. Любовь и поэзия, друзья и дети, красота и природа. Как я рада, что ты научил наших детей ценить подобные вещи, — это так поможет им в жизни! Иногда они говорят мне, как любят и уважают тебя, и тогда я чувствую себя счастливейшей женщиной в мире.

Ты и меня научил ценить прекрасное, только благодаря твоей поддержке я стала настоящим художником. Если бы ты знал, как много это значит для меня! Мои работы теперь украшают стены музеев и частных коллекций, а ведь были времена, когда я, начитавшись критических статей, чувствовала себя растерянной и никчемной. В такие дни ты всегда был рядом, утешал и поддерживал. Ты никогда не спорил с тем, что мне необходимо свое жизненное пространство, своя студия, и никогда не обращал внимания на забрызганную краской одежду или мебель. Не говоря уже о моих волосах. Это нелегко, я знаю. Только настоящий мужчина может быть так терпелив, и это ты, Ной. Ты терпишь меня уже сорок пять лет. Счастливейших лет.

Ты не только самый прекрасный в мире любовник, ты — мой друг, и я не знаю, что ценю больше. Это нельзя разделить, да и не нужно, как не нужно делить нашу жизнь на меня и тебя. Ты самый лучший на свете, Ной, ты сильный и добрый. И я, и все, кто тебя знает, больше остального ценят именно твою доброту. Ты умеешь прощать и забывать плохое. Бог вознаградит тебя, иначе и быть не может, потому что ты самый настоящий ангел.

Ты удивлялся, почему я пишу тебе и прошу ответить мне именно сейчас, пока мы еще дома. Наверное, со стороны я на самом деле выглядела странно, но, уверяю, у меня были на то причины. Спасибо, что терпеливо ждал разъяснений и не сердился, когда я не отвечала на твои вопросы. Вот и пришло время все объяснить.

Мы прожили замечательную жизнь, такое счастье выпадает далеко не всем, и сейчас, когда я смотрю на тебя, ужасно боюсь, что все это скоро закончится. Мы оба слышали прогнозы врачей и представляем, что ждет нас впереди. Когда я вижу твои слезы, я беспокоюсь за тебя даже больше, чем за себя, ведь тебе придется страдать гораздо сильнее. Даже не знаю, как выразить то, что я чувствую, какие подобрать слова.

И все-таки попробую. Слушай: я люблю тебя так сильно, так невероятно глубоко, что найду способ вернуться еще раз, несмотря на болезнь. Я обещаю. И на этом я заканчиваю свое письмо. Когда я забуду тебя и нашу любовь, перечитай эти слова, вспомни, что ты рассказывал детям, и знай: где-то глубоко в душе я все равно помню о нас. И может

Николас Спаркс

быть, да, может быть, когда-нибудь мы снова будем вместе.

Не сердись на меня, когда я тебя забуду (а мы оба знаем, что это неминуемо случится). Помни, что бы ни случилось, я люблю и всегда буду любить тебя и благодарить за то счастье, что ты мне подарил. Счастье быть вместе с тобой.

А если ты сохранишь это письмо и откроешь его через много дней, представь, что я пишу именно теперь, когда ты читаешь. Не важно, где мы и что с нами происходит, я все равно люблю тебя, Ной. И тогда, когда пишу эти строки, и тогда, когда ты их читаешь. Как жаль, если ты сейчас развернул мое письмо, а я не могу сказать тебе сама: «Я помню тебя, муж мой, ты был и остаешься моей единственной любовью».

Элли.

Я дочитываю письмо и встаю из-за стола. Нахожу свои тапочки. Они стоят у кровати, и, чтобы надеть их, мне приходится сначала сесть. Справившись с этим нелегким делом, я пересекаю комнату, открываю дверь и осторожно выглядываю в коридор. Так, сегодня дежурит Дженис. Во всяком случае, так кажется отсюда. Чтобы добраться до комнаты Элли, я должен пройти мимо поста медсестры, только вот беда — в это время суток я не имею права бродить по коридорам, а Дженис не тот человек, чтобы закрыть на это глаза. У нее муж — прокурор.

Я стою и подсматриваю в щелочку, не собирается ли она куда-нибудь отойти. Однако Дженис спокойно сидит за столом. Терпение мое иссякает, я не выдерживаю и все-таки выхожу из комнаты: шаркаю — скольжу вправо — шаркаю. На то, чтобы дойти до стола медсестры, у меня уходят века, но странным образом она меня не видит. Я, как пантера, беззвучно крадусь сквозь джунгли. Я, как птенец в гнезде, невидим для врагов.

И тут меня замечают. Неудивительно. Я останавливаюсь перед Дженис.

— Ной, — укоризненно говорит она, — что вы здесь делаете?

— Гуляю, — невинно отвечаю я. — Что-то не спится.

— Вы же знаете, что это запрещено.

— Знаю.

Я не двигаюсь с места. Не удастся ей меня прогнать.

Николас Спаркс

— Вовсе вы не гуляете. Вы хотите пройти к Элли.

— Так и есть, — признаюсь я.

— Помните, чем все кончилось, когда вы последний раз попытались зайти к ней ночью?

— Помню.

— Тогда вы должны понимать, что лучше вернуться.

— Я очень скучаю, — уклончиво объясняю я.

— Понимаю... и тем не менее пропустить не могу.

— Сегодня годовщина нашей свадьбы, — уговариваю я Дженис. И не кривлю душой. Всего год до золотой свадьбы. Сорок девять лет.

— Ясно.

— Можно пройти?

Сестра смотрит в сторону, а когда наконец отвечает, голос ее звучит гораздо добрее. Удивительно, никогда бы не заподозрил Дженис в сентиментальности.

— Ной, я работаю здесь уже пять лет, а до этого работала в другом доме престарелых. И здесь, и там я видела сотни семей, борющихся с горем и болезнями, но ни одна не поразила меня так сильно, как вы с Элли. Никто здесь — ни доктора, ни сестры — не видел ничего подобного.

Она замолкает на секунду и вытирает мокрые глаза. Дженис плачет?

— Я пытаюсь представить себе, как вы выдерживаете все это, как повторяете одно и то же — день за днем... И не могу. Иногда вам даже удается победить болезнь Элли! Доктора ломают головы, пытаясь понять, что это за чудо, а мы, медсестры, знаем. Любовь, вот и все. Самая простая и вместе с тем самая удивительная вещь на земле.

У меня перехватывает горло.

— И все-таки, Ной, вам не положено ходить ночью по коридору. Я не вправе вас пропустить, возвращайтесь-ка в свою комнату. — Дженис улыбается мне, шмыгая носом, шуршит на столе какими-то бумагами и добавляет: — Кстати, я иду вниз выпить кофе. Поэтому не смогу проверить, как вы добрались к себе. Будьте осторожны.

Она быстро встает, дружески касается моей руки и уходит в сторону лестницы. Даже не оглядывается. Я остаюсь один, не зная, что и подумать. Смотрю на стол и вижу полную чашку еще дымящегося кофе. В который раз убеждаюсь в том, что мир не без добрых людей.

Я впервые не мерзну, малюсенькими шажками двигаясь по коридору к комнате Элли.

И даже при такой скорости у меня быстро устают ноги. Приходится держаться за стену, чтобы не упасть.

Тихо жужжат галогеновые лампы, яркий свет режет глаза, я щурюсь. Прохожу мимо десятка одинаковых комнат, обитателям которых я нередко читал вслух, и вдруг понимаю, что соскучился и по ним тоже. За эти годы я подружился с соседями, узнал их лица и характеры, а потому рад, что завтра увижу их снова. Только сегодня мне нельзя останавливаться. Я толкаю себя вперед, и сердце с трудом гонит кровь по изношенным артериям. Удивительное дело: с каждой секундой я чувствую себя все сильнее. За спиной хлопает дверь, но шагов не слышно, и я двигаюсь дальше. Я вышел на свой Путь, и меня теперь не остановишь. В сестринской звонит телефон, и я пытаюсь прибавить шагу, чтобы меня не поймали. Я похититель в черной маске, летящий через пустыню на черном коне, притороченная к седлу сумка полна золотого песка, и луна освещает мою дорогу! Я юный влюбленный, страстный и сильный, сердце мое пылает, я выломаю дверь ее комнаты, подхвачу любимую на руки и улечу с ней прямо на небеса.

Кого я хочу обмануть?

Я веду примитивную жизнь. Я смешон — дряхлый влюбленный старик, мечтатель, которому осталось только одно — читать жене вслух да держать ее за руку. Я много грешил, наивно верил в чудо, однако теперь я слишком стар не только чтобы меняться, но и чтобы из-за этого переживать.

Наконец я добираюсь до комнаты Элли. Тело как ватное, ноги дрожат, сердце готово выскочить из груди. Приходится побороться с дверной ручкой; в конце концов мне удается повернуть ее — с третьего раза и обеими руками. Дверь открывается, и свет из коридора заливает комнату, выхватывая из темноты кровать со спящей Элли. Я смотрю на жену и вдруг четко понимаю, что для нее я не более чем прохожий в переполненном городе — встретишь и тут же забудешь.

В комнате тихо, Элли спит, откинув одеяло. Вдруг она поворачивается на бок, вздыхает, и эти звуки будят в памяти воспоминания о других, счастливых временах. На этой кровати Элли кажется такой маленькой, я смотрю на нее и понимаю, что все кончено. В комнате душно, меня начинает трясти. Это место станет нашей могилой.

Почти минуту я стою не двигаясь. Как бы мне хотелось рассказать жене обо всем, что я чувствую, именно сейчас, в годовщину нашей свадьбы!.. Но я боюсь разбудить ее. Кроме того, я написал записку, которую собираюсь сунуть ей под подушку:

Любовь и страсть последних дней
Еще светлей, еще сильней.
Как свет зари, цветы, трава,
Она права, всегда права!

Кажется, кто-то идет по коридору. Я вхожу в комнату и закрываю за собой дверь. В навалившейся темноте на ощупь подхожу к окну. Открываю занавески и вижу огромную и круглую луну — хранительницу ночи. Поворачиваюсь к Элли и любуюсь ею. Засунув ей под подушку свои стихи, я сажусь на кровать, хотя и знаю, что этого делать не стоит. Гляжу лицо жены — нежное, как шелк. Перебираю волосы и чувствую, как у меня захватывает дыхание — какая же она удивительная! Наверное, примерно так чувствует себя музыкант, впервые услышавший музыку Моцарта.

Элли вздрагивает и открывает сонные глаза. Я тут же раскаиваюсь в своей глупости — сейчас она закричит и заплачет, как обычно. До чего же я слабовольный и нетерпеливый! И все-таки мне хочется сделать невероятное, я наклоняюсь и...

Когда мои губы встречаются с губами жены, я чувствую странную дрожь, не похожую ни на одно из знакомых ощущений. Но не отнимаю губ. И тут случается чудо — рот Элли приоткрывается, и я вновь оказываюсь в раю, неизменном и бесконечном, как звездное небо. Я чувствую тепло ее тела, мой язык касается ее языка, и я уплываю куда-то, как и много лет назад. Глаза мои закрыты, я — стремительный корабль, несущийся по пенным волнам, дерзкий и бесстрашный, и парус мой — моя Элли. Я нежно провожу пальцами по ее щеке, нахожу ее руку, целую глаза, губы. Слышу ее вздох и нежное бормотание:

— Ах, Ной... Я так по тебе скучала...

Снова чудо — самое невероятное из всех. Я не могу сдержать слез, мне кажется, что мы парим на облаках, потому что в этот самый момент пальцы Элли находят пуговицы моей рубашки и начинают медленно расстегивать их — одну за другой.

Содержание

www.nicholassparks.com

Литературно-художественное издание

Спаркс Николас
Дневник памяти

Роман

Ответственный редактор *Е.А. Булгакова*
Компьютерная верстка: *П.Р. Рыдалин*
Технический редактор *Т.В. Полонская*

Подписано в печать 12.03.2018.
Формат 76x100 $^1/_{32}$. Усл. печ. л. 11,26.
С.: Эксклюзивная классика. Доп. тираж 7000 экз. Заказ № 2753/18.
С.: Эксклюзивная классика (Лучшее). Тираж 15 000 экз. Заказ № 2754/18.

Общероссийский классификатор продукции
ОК-005-93, том 2; 953000 – книги, брошюры

Наш электронный адрес: WWW.AST.RU
E-mail: neoclassic@ast.ru
ВКонтакте: vk.com/ast_neoclassic

ООО «Издательство АСТ»
129085 г. Москва, Звездный бульвар, д. 21, строение 1, комната 39

«Баспа Аста» деген ООО
129085 г. Мәскеу, жұлдызды гүлзар, д. 21, 1 құрылым, 39 бөлме
Біздің электрондық мекенжайымыз: www.ast.ru
E-mail: neoclassic@ast.ru
ВКонтакте: vk.com/ast_neoclassic

Қазақстан Республикасында дистрибьютор және өнім бойынша арыз-талаптарды
қабылдаушының өкілі «РДЦ-Алматы» ЖШС, Алматы қ.,
Домбровский көш., 3«а», литер Б, офис 1.
Тел.: 8(727) 2 51 59 89,90,91,92, факс: 8 (727) 251 58 12 вн. 107;
E-mail: RDC-Almaty@eksmo.kz
Өнімнің жарамдылық мерзімі шектелмеген.

Өндірген мемлекет: Ресей
Сертификация қарастырылмаған

Отпечатано в соответствии
с предоставленными материалами
в ООО «ИПК Парето-Принт»,
170546, Тверская область,
Промышленная зона Боровлево-1,
комплекс № 3А. www.pareto-print.ru

16+